O apanhador no campo de centeio

O apanhador no campo de centeio

J. D. Salinger

tradução
Caetano W. Galindo

todavia

Para minha mãe

I

Se você quer mesmo ouvir a história toda, a primeira coisa que você deve querer saber é onde eu nasci, e como que foi a porcaria da minha infância, e o que os meus pais faziam antes de eu nascer e tal, e essa merda toda meio David Copperfield, mas eu não estou a fim de entrar nessa, se você quer saber a verdade. Pra começo de conversa, isso tudo me enche o saco, e depois os meus pais iam ter duas hemorragias cada um se eu contasse algum negócio mais pessoal lá deles. Eles são pra lá de sensíveis com essas coisas, especialmente o meu pai. Eles são *bacanas* e tal — eu não estou dizendo que não —, mas também são sensíveis que é o diabo. Além de tudo, eu não vou te contar a droga toda da minha autobiografia nem nada assim. Só vou te contar essa coisa demente que me aconteceu lá perto do Natal do ano passado logo antes de eu ficar na pior e ter que vir pra cá pra relaxar um tiquinho. Quer dizer, foi só isso que eu contei pro D.B., e ele é meu *irmão* e tal. Ele está em Hollywood. Que não fica tão longe desse lugarzinho asqueroso aqui, e ele vem me visitar praticamente todo fim de semana. Ele vai me levar de carro quando eu for pra casa no mês que vem, quem sabe. Ele acabou de comprar um Jaguar. Uma daquelas coisinhas inglesas que fazem quase trezentos quilômetros por hora. Pagou quase quatro mil pratas. Ele está cheio da grana, agora. *Antes* não. Antes ele era só um escritor normal, quando morava em casa. Ele escreveu um livro de contos sensacional, *O peixe-dourado secreto*, caso você nunca tenha ouvido falar dele. O melhor conto do livro era "O peixe-dourado secreto". Era sobre um menininho que não deixava ninguém olhar o peixinho-dourado dele porque ele que tinha comprado com a própria grana. Aquilo me matou. Agora ele está em Hollywood, o D.B., se prostituindo. Se tem uma coisa que eu odeio é cinema. Nem venha me falar de cinema.

Eu quero começar a contar é do dia em que eu saí da Pencey Prep. A Pencey Prep é uma escola lá em Agerstown, na Pensilvânia. Você provavelmente já ouviu falar. Provavelmente viu os anúncios, pelo menos. Eles anunciam numas mil revistas, sempre mostrando um figurão a cavalo pulando por cima de uma cerca. Como se lá na Pencey você ficasse o tempo todo só jogando polo. Nunquinha que eu vi nem *sombra* de um cavalo por lá. E embaixo da imagem do fulano a cavalo, sempre diz: "Desde 1888 nós moldamos garotos e criamos esplêndidos e lúcidos rapazes". Estritamente pega-otário. Eles não fazem merda nenhuma de mol*da*gem lá na Pencey que as outras escolas por aí não façam. E eu não conheci ninguém por lá que fosse esplêndido e lúcido e tal. Talvez dois sujeitos. Se tanto. E eles provavelmente já *chegaram* assim na Pencey.

Enfim, foi no sábado do jogo de futebol americano com a Saxon Hall. O jogo com a Saxon Hall em teoria era um negócio importantíssimo lá na Pencey. Era o último jogo do ano, e em teoria você devia cometer suicídio ou sei lá o quê caso a nossa amiga Pencey não ganhasse. Eu lembro que perto das três da tarde eu estava lá em cima da colina Thomsen, bem pertinho de um canhão maluco que foi da Guerra da Independência e tal. Dava pra ver o campo todo de lá, e dava pra ver os dois times descendo o braço um no outro pra lá e pra cá. Não dava pra ver tão bem a arquibancada, mas dava pra ouvir todo mundo berrando, um negócio grave e sensacional do lado da Pencey, porque praticamente a escola toda menos eu estava lá, e mirradinho e maricas do lado da Saxon Hall, porque o time de fora quase nunca vinha com muita gente.

Nunca tinha muita menina nos jogos de futebol. É que só os veteranos podiam trazer meninas. Era uma escola horrorosa, de tudo quanto é jeito. Eu gosto de estar num lugar onde pelo menos dê pra você ver umas meninas de vez em quando, nem que elas estejam só coçando o braço ou assoando o nariz ou só rindinho ou sei lá o quê. A nossa amiga Selma Thurmer — ela era filha do diretor — aparecia bastante nos jogos, mas ela não era exatamente o tipo de te enlouquecer de desejo. Só que era uma menina bacaninha. Uma vez eu sentei do lado dela no ônibus da volta de Agerstown e a gente meio que trocou uma ideia. Eu gostei dela. Tinha um baita narigão e as unhas todas roídas com cara de ensanguentadas e estava usando aquela droga daquele enchimento que fica apontando pra tudo quanto é lado, mas ela meio que dava uma peninha. O que eu gostava nela era que ela não ficava te embromando com um monte de conversa-fiada sobre como o pai dela era supimpa. Ela provavelmente sabia o quanto ele era desleixado e fajuto.

O motivo de eu estar lá em cimão da colina Thomsen, em vez de estar lá embaixo no jogo, era que eu tinha acabado de voltar de Nova York com a equipe de esgrima. Eu era a droga do responsável da equipe de esgrima. Grandes porcarias. A gente tinha ido até Nova York naquele dia pra um desafio de esgrima com a McBurney School. Só que não teve desafio. Eu deixei as espadas e o equipamento e coisa e tal na droga do metrô. Não foi tudo culpa minha. Eu tinha que ficar levantando pra olhar um mapa, pra gente poder saber onde que ia descer. Aí a gente chegou de volta na Pencey lá pelas duas e meia em vez de chegar na hora do jantar. A equipe toda ficou me hostilizando na volta, inteirinha. Foi bem engraçado, até.

O outro motivo de eu não estar lá no jogo era porque eu estava indo me despedir do nosso amigo Spencer, o meu professor de história. Ele estava gripado, e eu saquei que provavelmente não ia mais encontrar o sujeito de novo até o começo das férias de Natal. Ele me escreveu um bilhetinho pra dizer que queria me ver antes de eu ir pra casa. Ele sabia que eu não ia voltar pra Pencey.

Esqueci de te dizer isso. Eles me chutaram. Em teoria eu não ia voltar depois das férias de Natal porque ia reprovar em quatro matérias e não estava me esforçando e tal. Eles ficavam me dando avisos que eu precisava me esforçar — especialmente na época das provas, quando os meus pais vieram pra uma reunião com o nosso amigo Thurmer —, mas eu não me esforçava. Aí tomei um pé. Volta e meia eles metem o pé na bunda dos carinhas na Pencey. Eles têm uma avaliação acadêmica bem bacana, lá na Pencey. Têm mesmo.

Enfim, era dezembro e tal, e estava mais frio que teta de bruxa, especialmente em cima daquela colina idiota. Eu estava só com o meu casaco dupla-face e sem luva nem nada. Uma semana antes alguém tinha afanado o meu sobretudo de lã de camelo bem no meu quarto, com a minha luva forrada de pele bem no bolso e tal. A Pencey estava assim de canalhas. Um monte dos carinhas vinha de umas famílias ricas de doer, mas mesmo assim a escola era cheia de canalha. Quanto mais cara a escola, mais canalha lá dentro — sem brincadeira. Enfim, eu fiquei ali do lado daquele canhãozão maluco, olhando o jogo lá de cima e morrendo de frio. Só que eu não estava vendo muito o jogo. Eu estava enrolando mesmo ali era pra ver se sentia algum tipo de despedida. Quer dizer, eu já fui embora de umas escolas e de uns lugares sem nem perceber. Eu odeio isso. Tanto faz se for uma despedida triste, ou se for ruim, mas quando eu vou embora eu gosto de *saber* que estou indo embora. Se você não percebe, você fica pior ainda.

Eu dei sorte. Do nada, eu pensei numa coisa que ajudou a deixar claro que eu estava me livrando daquele inferno. Eu de repente me lembrei que nessa época, perto lá de outubro, eu e o Robert Tichener e o Paul Campbell, a gente estava à toa com uma bola de futebol americano, na frente do prédio das salas de aula. Eram uns sujeitos legais, especialmente o Tichener. Era quase hora do jantar e já estava ficando bem escuro lá fora, mas a gente continuou jogando aquela bola um pro outro, mesmo assim. Ia ficando cada vez mais escuro, e a gente quase não conseguia *enxergar* a bola mais, mas não queria parar de fazer o que estava fazendo. Acabou que a gente teve que parar. O tal do sujeito que dava aula de biologia, o professor Zambesi, meteu a cabeça pra fora de uma janela do prédio das salas de aula e disse pra gente voltar pro dormitório e se arrumar pro jantar. Se dá pra eu lembrar esse tipo de coisa, eu consigo a minha despedida quando preciso — ou quase sempre, pelo menos. Na hora que eu consegui, eu dei meia-volta e desci correndo o outro lado da colina, pros lados da casa do nosso amigo Spencer. Ele não morava no campus. Morava na avenida Anthony Wayne.

Eu corri até o portão principal, e aí fiquei esperando um segundo pra me recuperar. Eu não tenho fôlego, se você quer saber a verdade. Eu sou um fumante pesado, pra começo de conversa — quer dizer, era. Eles me fizeram largar. Outra coisa, eu *cresci* dezesseis centímetros e meio no ano passado. Também foi por isso que eu praticamente peguei tuberculose e vim aqui fazer essa montoeira de exames médicos e coisa e tal. Mas no geral eu estou bem.

Enfim, assim que eu tomei fôlego, eu atravessei correndo a estrada 204. Estava que era um gelo só e eu quase me estabaquei. Eu nem sei por que eu estava correndo — acho que me deu vontade, só. Depois que atravessei a estrada, eu senti que estava meio que desaparecendo. Era uma daquelas tardes malucas, um frio do diabo, sem sol nem nada, e você achava que estava desaparecendo cada vez que atravessava uma estrada.

Rapaz, como eu toquei rápido aquela campainha quando cheguei na casa do nosso amigo Spencer. Eu estava congeladíssimo. Estava com as orelhas doendo, e mal conseguia mexer os dedos. "Anda, anda", eu disse em voz alta, quase, "alguém abre essa *porta.*" Finalmente a nossa amiga sra. Spencer abriu. Eles não tinham empregada nem nada, e sempre abriam a porta eles mesmos. Eles não tinham muita grana.

"Holden!", a sra. Spencer disse. "Que coisa boa te ver! Entre, querido! Você está morrendo de frio?" Acho que ela ficou feliz de me ver. Ela gostava de mim. Pelo menos acho que ela gostava.

Rapaz, eu entrei rápido pacas lá naquela casa. "Como vai, sra. Spencer?", eu disse. "Como é que está o professor Spencer?"

"Deixa eu pegar o seu casaco, querido", ela falou. Ela não me ouviu perguntar como ia o professor Spencer. Era meio surda.

Ela pendurou o meu casaco no armarinho do corredor, e eu meio que penteei o cabelo com a mão. Meu cabelo é tipo escovinha e nunca tenho que pentear demais. "Como está a vida, sra. Spencer?", eu disse de novo, só que mais alto, pra ela me ouvir.

"Tudo em ordem, Holden." Ela fechou a porta do armário. "E *você*?" Pelo jeito dela me perguntar, eu soube de cara que o nosso amigo Spencer tinha contado pra ela que eu fui expulso.

"Bacana", eu falei. "Como vai o professor Spencer? Já melhorou da gripe?"

"Melhorar! Holden, ele está se comportando como um perfeito — eu nem sei *o quê*... Ele está no quarto dele, querido. Pode ir entrando."

2

Eles tinham cada um o seu quarto e tal. Os dois tinham lá seus setenta anos, ou até mais. Só que eles se divertiam — de um jeito bem mais ou menos, claro. Eu sei que isso não se diz, mas não quero dizer só por dizer. É só que eu pensava bastante no nosso amigo Spencer, e se você pensava *muito* nele, você ficava pensando por que diabos ele ainda queria viver. Quer dizer, ele era todo dobrado em dois, e tinha uma postura horrorosa, e em sala de aula, toda vez que ele derrubava giz quando estava escrevendo na lousa, alguém da primeira fila sempre tinha que levantar pra ir pegar e devolver pra ele. Isso é um horror, na minha opinião. Mas se você pensava nele só o que devia, e não *muito*, dava pra ver que ele não estava se dando tão mal assim. Por exemplo, num domingo, quando eu e uns outros carinhas fomos lá tomar chocolate quente, ele mostrou pra gente um cobertor navajo surrado que ele e a sra. Spencer tinham comprado de um índio lá no parque Yellowstone. Dava pra ver que o nosso amigo Spencer se divertiu horrores comprando aquilo ali. Era isso que eu queria dizer. Você vê lá alguém velho pra diabo, que nem o nosso amigo Spencer, e a pessoa consegue se divertir pacas comprando cobertor.

A porta dele estava aberta, mas eu meio que bati mesmo assim, só pra ser educado e tal. Dava pra ver onde ele estava sentado. Estava sentado numa poltrona de couro, todo enrolado no tal cobertor. Ele olhou pro meu lado quando eu bati. "Quem é?", ele berrou. "Caulfield? Entra, garoto." Ele vivia berrando, quando não estava em sala de aula. Às vezes dava nos nervos.

Na mesma horinha que eu entrei, eu meio que me arrependi de ter ido. Ele estava lendo a *Atlantic Monthly*, e tinha comprimido e remédio pra tudo quanto era lado, e estava tudo com um cheiro de descongestionante Vick. Era bem deprimente. Até porque eu não sou exatamente louco por ver gente doente. O que deixava a coisa mais deprimente ainda era que o nosso amigo Spencer estava com um roupão de banho tristíssimo, molambento, que deve ter nascido com ele ou sei lá o quê. Eu não gosto muito mesmo de ver velho de pijama e de roupão. Aquele peito calombento fica sempre aparecendo. E as pernas. Perna de velho, na praia e tal, sempre parece uma coisa tão branca e pelada. "Oi, professor", eu disse. "Recebi o seu bilhete. Muito obrigado." Ele tinha escrito um bilhete dizendo pra eu dar uma passada ali e me despedir antes do começo das férias, porque eu não ia voltar. "O senhor nem precisava se dar ao trabalho. Eu ia ter passado aqui pra me despedir mesmo."

"Senta ali, garoto", o nosso amigo Spencer disse. Ele estava falando da cama.

Eu sentei. "Como está a sua gripe, professor?"

"Meu garoto, se eu estivesse um pouquinho melhor, era o caso de chamar o médico", o nosso amigo Spencer disse. Aquilo derrubou ele. O velhinho começou a rir feito um demente. Aí ele finalmente se recompôs e disse, "Por que é que você não está lá no jogo? Eu achei que hoje era o dia do grande jogo".

"E é. Eu estava. Mas é só que eu acabei de chegar de Nova York com a equipe de esgrima", eu disse. Rapaz, a cama dele parecia uma pedra.

Ele começou a ficar sério pra diabo. Eu sabia que ele ia fazer isso. "Então você está indo embora, não é?", ele disse.

"Sim, senhor. Parece que sim."

Ele começou com aquilo de fazer que sim com a cabeça. Você nunca viu alguém fazer tanto isso na vida quanto o nosso amigo Spencer. Você nunca conseguia saber se ele estava concordando daquele jeito porque estava pensando e tal, ou só porque era um velhinho bacana e meio bocó.

"O que foi que o dr. Thurmer te disse, garoto? Pelo que eu soube vocês tiveram uma conversinha."

"Tivemos sim. Tivemos mesmo. Eu fiquei umas duas horas na sala dele, acho."

"O que foi que ele te disse?"

"Ah... enfim, aquilo de que A Vida é um jogo e tal. E que você tem que obedecer às regras. Ele foi bem bacana com a coisa toda. Quer dizer, ele não ficou ensandecido nem nada. Só ficou lá falando que A Vida era um jogo e tal. O senhor sabe."

"A Vida *é* um jogo, garoto. A Vida *é* um jogo que você joga segundo as regras."

"Sim, senhor. Eu sei que é. Eu sei."

Jogo o cacete. Um belo de um jogo. Se você fica do lado que tem os figurões todos, aí sim é um jogo — isso eu não vou negar. Mas se você fica do *outro* lado, onde não tem figurão nenhum, aí o que é que tem de jogo? Nada. Nadinha.

"O dr. Thurmer já escreveu pros seus pais?", o nosso amigo Spencer me perguntou.

"Ele disse que ia escrever pra eles na segunda."

"E você? Já se comunicou com eles?"

"Não, senhor, eu não me comuniquei com eles, porque provavelmente vou ver todo mundo na quarta de noite quando chegar em casa."

"E como você acha que eles vão receber a notícia?"

"Bom... eles vão ficar bem irritados", eu disse. "Vão mesmo. Essa aqui deve ser a quarta escola em que eu estudo." Eu sacudi a cabeça. Eu sacudo pacas a cabeça. "Rapaz!", eu falei. "Rapaz!" também é uma coisa que eu digo pacas. Um pouco porque eu tenho uma porcaria de um vocabulário e um pouco porque às vezes eu não me comporto como quem tem a minha idade. Eu nessa época estava com dezesseis, agora estou com dezessete, e às vezes eu me comporto como se tivesse uns treze. É bem irônico, porque eu tenho um metro e oitenta e nove e o meu cabelo é grisalho. Grisalho mesmo. Um lado da minha cabeça — o direito — é cheio de milhões de cabelinhos grisalhos. Isso desde que eu era menino. E mesmo assim eu ainda me comporto às vezes como se tivesse uns doze anos de idade. Todo mundo fala isso, especialmente o meu pai. E um pouco é verdade, também, mas não é *tudo* verdade. O pessoal sempre pensa que uma coisa é *tudo* verdade. Estou pouco me lixando, mas de vez em quando eu fico de saco cheio das pessoas me dizerem pra deixar de ser criança. Às vezes eu me comporto como se fosse bem mais velho do que eu sou — verdade mesmo —, mas aí ninguém percebe. O pessoal nunca percebe coisíssima nenhuma.

O nosso amigo Spencer começou de novo a fazer que sim com a cabeça. E também começou a cutucar o nariz. Ele fazia que estava só apertando o nariz, mas ele estava mesmo era enfiando o dedão lá dentro pra valer. Acho que ele pensou que tudo bem fazer aquilo porque era só eu ali com ele no quarto. Eu nem me *incomodava*, só que é bem nojento ver alguém cutucar o nariz.

Aí ele disse, "Eu tive o prazer de conhecer a sua mãe e o seu pai quando eles tiveram uma conversinha com o dr. Thurmer há algumas semanas. São pessoas distintas".

"É, são sim. Eles são bem bacanas."

Distinto. Está aí uma palavra que eu odeio. Palavrinha fajuta. Eu quase vomito cada vez que ouço.

Aí, do nada, o nosso amigo Spencer fez cara de quem tinha alguma coisa bem boa, alguma coisa afiada que nem navalha, pra me dizer. Ele sentou mais retinho na poltrona e meio que se mexeu um pouco. Só que era alarme falso. O que ele fez foi tirar a *Atlantic Monthly* do colo e tentar jogar na cama, do meu lado. Errou. Estava só a uns cinco centímetros, mas ele errou mesmo assim. Eu levantei e peguei a revista do chão pra largar na cama. Aí, do nada, eu quis zarpar do inferno daquele quarto. Dava pra sentir que vinha uma bronca tremenda. Eu nem me incomodava tanto com a ideia, mas não estava a fim de tomar bronca e ficar sentindo cheiro de Vick e vendo o nosso amigo Spencer de pijama e de roupão, tudo ao mesmo tempo. Não estava mesmo.

E veio. "Qual é o seu problema, garoto?", o nosso amigo Spencer disse. E de um jeito bem firme, também, vindo dele. "Quantas matérias você cursou nesse semestre?"

"Cinco, senhor."

"Cinco. E vai reprovar em quantas?"

"Quatro." Eu mexi um pouco a bunda na cama. Era a cama mais dura do mundo. "Mas em inglês eu passei", eu disse, "porque eu já tinha estudado tudo isso do *Beowulf* e 'Lord Randal My Son' lá na Whooton School. Quer dizer, mal me deu trabalho, quase não deu, passar em inglês, a não ser escrever uma redaçãozinha de vez em quando."

Ele não estava nem me ouvindo. Ele quase nunca te escutava quando você dizia alguma coisa.

"Eu te reprovei em história porque você não sabia absolutamente nada."

"Eu sei, professor. Rapaz, como eu sei. O senhor não teve alternativa."

"Absolutamente nada", ele repetiu. Está aí um negócio que me deixa doido. Quando as pessoas dizem um negócio duas vezes desse jeito, depois que você *admitiu* já na primeira vez. Aí ele disse *três* vezes. "Mas absolutamente nada. Duvido muitíssimo que você tenha aberto o livro uma única vez durante o semestre inteiro. Abriu? Diga a verdade, garoto."

"Bom, eu meio que dei umas espiadas aqui e ali", eu falei. Não queria magoar o velho. Ele era maluco por história.

"Deu umas espiadas, é?", ele disse — todo sarcástico. "A sua, hmm, a sua *prova* está ali em cima da minha cômoda. A primeira da pilha. Traga aqui, por favor."

Foi um golpezinho bem baixo, mas eu fui lá e levei a prova pra ele — eu não tinha alternativa nem nada. Aí sentei de novo na cama de concreto. Rapaz, você nem imagina como eu estava arrependido de ter passado ali pra me despedir dele.

Ele começou a mexer na minha prova como se ela fosse um cocô ou sei lá o quê. "Nós estudamos os egípcios de 4 de novembro a 2 de dezembro", ele disse. "Você *escolheu* escrever a respeito deles na sua resposta discursiva opcional. Você gostaria de ouvir o que você teve a dizer?"

"Não, senhor, não muito", eu disse.

Mas ele leu mesmo assim. Não dá pra você segurar um professor quando eles querem fazer alguma coisa. Eles vão lá e fazem *mesmo*.

> Os egípcios eram uma antiga raça de caucasianos que residia num dos setores setentrionais da África. Este, como sabemos todos, é o maior continente do hemisfério ocidental.

Eu tive que ficar ali *ouvindo* aquela merda. Era certamente um golpe dos mais baixos.

> Os egípcios são extremamente interessantes para os nossos tempos por diversos motivos. A ciência moderna ainda gostaria de conhecer o ingrediente secreto que os egípcios usavam quando embrulhavam os mortos de modo que a cara deles não apodrecesse por inumeráveis séculos. Esse interessante enigma ainda é um considerável desafio para a ciência moderna no século XX.

Ele parou de ler e largou a minha prova. Eu estava começando a meio que odiar o sujeito. "A sua resposta discur*si*va, digamos assim, acaba aqui", ele disse com uma voz pra lá de sarcástica. Não dava pra você dizer que um fulano velho daquele jeito podia ser tão sarcástico e tal. "Contudo, você me deixou um bilhetinho, no pé da página", ele disse.

"Eu sei que deixei", eu disse. Falei bem rápido porque queria evitar que ele lesse *aquilo* em voz alta. Mas não dava pra você segurar o cara. Ele estava na pontinha dos cascos.

> CARO SR. SPENCER [ele leu em voz alta]. Isso é tudo que eu sei sobre os egípcios. Não tem jeito de eu me interessar muito por eles apesar das suas aulas serem muito interessantes. Por mim tudo bem se o senhor me reprovar já que eu vou reprovar em tudo menos inglês mesmo. Respeitosamente, HOLDEN CAULFIELD.

Ele largou a desgraça da minha prova nessa hora e olhou pra mim como se tivesse acabado de me dar uma surra numa partida de pingue-pongue ou sei lá o quê. Acho que eu nunca vou perdoar o velho por ter me lido aquela merda em voz alta. Eu não ia ter lido em voz alta pra *ele* se fosse *ele* quem tivesse escrito — não ia mesmo. Pra começo de conversa, eu só tinha es*cri*to a droga do bilhete pra ele não se sentir tão mal por me reprovar.

"Você acha que a culpa é minha por te reprovar, garoto?", ele disse.

"Não, senhor! Certamente não", eu disse. Queria que ele parasse com aquele inferno de ficar me chamando de "garoto" o tempo todo.

Ele tentou jogar a minha prova na cama, já que não precisava mais dela. Só que errou de novo, lógico. Eu tive que levantar de novo e pegar do chão e colocar em cima da *Atlantic Monthly*. Enche o *saco* ficar fazendo isso de dois em dois minutos.

"O que você teria feito no meu lugar?", ele disse. "Diga a verdade, garoto."

Bom, dava pra você ver que ele estava se sentindo um merda por ter me reprovado. Então eu mandei uma cascata. Eu disse que eu era uma besta muito grande e coisa e tal. Disse que teria feito a mesmíssima coisa se estivesse no lugar dele, e que as pessoas em geral não sabem como é duro ser professor. Esse tipo de coisa. Cascata.

Só que o engraçado é que eu estava meio que pensando em outra coisa enquanto mandava a cascata. Eu moro em Nova York, e estava pensando no lago do Central Park, lá perto da Central Park South. Estava pensando se o lago ia estar congelado quando eu chegasse em casa, e se estivesse, pra onde que os patos iam. Estava pensando pra onde iam os patos quando o laguinho ia esfriando e congelava. Se algum sujeito vinha de caminhão pra levar os patos pra um zoológico ou sei lá o quê. Ou se eles só voavam dali, e pronto.

Só que eu sou um sujeito sortudo. Quer dizer, isso porque eu conseguia ficar mandando aquela cascata pro nosso amigo Spencer e pensar nos patos ao mesmo tempo. É esquisito. Você não tem que pensar demais enquanto conversa com um professor. Só que do nada ele me interrompeu enquanto eu estava mandando a cascata. Ele vivia interrompendo.

"O que é que você *acha* disso, garoto? Eu queria muito saber. Queria muito."

"O senhor está falando de eu ter reprovado na Pencey e tal?", eu disse. Eu meio que queria que ele cobrisse aquele peito calombento. Não era uma vista das mais lindas.

"Se eu não estou enganado, você também teve certa dificuldade na Whooton e em Elkton Hills." Ele não foi só sarcástico, foi meio sacana também.

"Eu não tive tanta dificuldade na Elkton Hills", eu falei. "Eu não reprovei nem nada. Eu só larguei, meio assim."

"Por quê, posso perguntar?"

"Por quê? Ah, bom, é uma história comprida, professor. Quer dizer, é bem complicadinho." Eu não estava a fim de falar daquilo tudo ali com ele. Ele nem ia entender mesmo. Não era pro bico dele. Um dos maiores motivos de eu ter saído da Elkton Hills era que eu estava cercado de gente fajuta. E só. Tinha fajuto saindo pelo ladrão. Por exemplo, tinha lá o tal do diretor, o sr. Haas, que era o filho da puta mais fajuto que eu já vi na vida. Dez vezes pior que o nosso amigo Thurmer. No domingo, por exemplo, o nosso amigo Haas saía apertando a mão dos pais de todo mundo quando eles chegavam de carro. Simpático pra diabo e tal. A não ser que um dos carinhas tivesse pais com uma cara assim mais esquisita. Você tinha que ver o que ele fez com os pais do meu colega de quarto. Quer dizer, se a mãe do carinha era meio gorda ou meio cafona, assim de aparência, e se o pai de alguém era um daqueles sujeitos que usam aqueles ternos com umas ombreiras enormes e aqueles sapatos preto e branco bem cafonas, aí o nosso amigo Haas só apertava a mão deles e soltava um sorrisinho fajuto e aí se mandava pra conversar, quem sabe uma meia *horinha*, com os pais de outro sujeito. Eu não suporto esse negócio. Isso me deixa louco. Me deixa tão deprimido que eu piro. Eu odiava a desgraça da Elkton Hills.

O nosso amigo Spencer me perguntou uma coisa, daí, mas eu não escutei. Eu estava pensando no nosso amigo Haas. "O que foi, professor?", eu disse.

"Você tem algum *peso* na consciência por estar de saída da Pencey?"

"Ah, eu tenho algum peso sim. Claro... mas não demais. Ainda não, pelo menos. Acho que a coisa ainda não bateu direito. Comigo leva um tempo pras coisas baterem. Agora eu só estou pensando em ir pra casa na quarta. Eu sou uma besta."

"Você não tem nenhuma preocupação com o seu futuro, garoto?"

"Ah, eu tenho umas preocupações com o meu futuro sim. Claro. Claro que tenho." Eu pensei um minutinho naquilo. "Mas não demais, acho. Não demais, eu acho."

"*Vai* ter", o nosso amigo Spencer disse. "Vai ter, garoto. Vai ter quando for tarde demais."

Não gostei de ouvir ele dizer aquilo. Parecia que eu estava morto ou sei lá o quê. Foi bem deprimente. "Acho que vou", eu disse.

"Eu queria enfiar um pouco de juízo nessa sua cabeça, garoto. Eu estou tentando te ajudar. Estou tentando te *ajudar*, se der."

E estava mesmo. Dava pra você ver. Mas o negócio é que a gente estava muito assim em lados opostos do polo, e só. "Eu sei, professor", eu falei. "Muito obrigado. Sem brincadeira. Eu agradeço. Agradeço mesmo." Eu levantei da cama nessa hora. Rapaz, eu não dava conta de ficar sentado ali mais dez minutos nem que fosse pra salvar a minha vida. "Só que o negócio é que eu tenho que ir andando agora. Eu tenho bastantinha coisa no ginásio pra levar pra casa. Tenho mesmo." Ele ergueu o rosto pra me olhar e começou de novo a fazer que sim com a cabeça, com uma cara bem séria. Eu fiquei com peninha dele, assim, do nada. Mas não tinha mais como ir ficando por ali, com isso da gente estar em lados opostos do polo, e dele ficar errando toda vez que jogava alguma coisa na cama, e aquele roupãozinho tristonho com o peito dele de fora, e aquele cheiro grudento de Vick pra tudo quanto era lado. "Olha, professor. Não se preocupe comigo", eu falei. "Sério. Eu vou ficar bem. Eu só estou passando por uma fase complicada agora. Todo mundo passa por umas fases complicadas e tal, não é verdade?"

"Não sei, garoto. Não sei."

Odeio quando alguém responde desse jeito. "Claro. Claro que passa", eu falei. "Sério, professor. Por favor, não se preocupe comigo." Eu meio que pus a mão no ombro dele. "Joia?", eu disse.

"Você não quer tomar uma xícara de chocolate quente antes de ir? A sra. Spencer ia ficar —"

"Até queria, queria mesmo, mas o negócio é que eu tenho que ir andando. Eu tenho que ir direto no ginásio. Mas obrigado. Muito obrigado, professor."

Aí ele apertou a minha mão. E essa merda toda. Mas aquilo me deixou triste que era o diabo.

"Eu vou telefonar, professor. Cuide dessa gripe, hein."

"Adeus, garoto."

Depois que eu fechei a porta e voltei pra sala de estar, ele berrou um negócio pra mim, mas eu não ouvi direito. Eu tenho quase certeza que ele berrou "Boa sorte" pra mim.

Espero que não, droga. Eu nunca ia gritar "Boa sorte" pra alguém. É uma ideia horrorosa, se você parar pra pensar.

3

Eu sou o mentiroso mais sensacional que você já viu. É um negócio pavoroso. Se eu estiver indo na banca comprar uma revista, até, e alguém me perguntar onde é que eu vou, é capaz de eu dizer que estou indo pra ópera. É um negócio terrível. Então quando eu falei pro nosso amigo Spencer que tinha que passar no ginásio pra pegar o meu equipamento e coisa e tal, foi uma mentira deslavada. Eu nem deixo a droga do meu equipamento no ginásio.

Onde eu morava, lá na Pencey, era na ala Memorial Ossenburger do dormitório novo. Era só pra alunos de terceiro e de quarto ano. Eu era do terceiro. O meu colega de quarto era do quarto. O nome era por causa do tal desse Ossenburger que estudou na Pencey. Ele ganhou dinheiro a dar com o pau no ramo funerário depois que saiu da Pencey. O que ele fez foi que ele abria uns tais de uns salões funerários no país inteiro, que você podia enterrar os membros da tua família por cinco pratas cada. Você tinha que ver o nosso amigo Ossenburger. Ele provavelmente só mete os defuntos num saco e joga tudo no rio. Enfim, ele deu uma montanha de dinheiro pra Pencey, e eles batizaram a nossa ala com o nome dele. No primeiro jogo de futebol americano do ano, ele apareceu na escola com uma desgraça de um Cadillac grandalhão, e todo mundo teve que ficar de pé na arquibancada pra fazer uma locomotiva pra ele — locomotiva é um grito de torcida. Aí, no outro dia cedo, na capela, ele fez um discurso de coisa de umas dez horas. Começou com umas cinquenta piadas cafonas, só pra mostrar pra gente como ele era um carinha normal. Grandes porcarias. Aí ele começou a contar que nunca tinha vergonha, quando estava com algum problema ou sei lá o quê, de se ajoelhar de uma vez e rezar pra Deus. Ele disse que a gente devia sempre rezar pra Deus — conversar com Ele e tal — onde quer que fosse. Disse que a gente devia considerar Jesus um amigão nosso e tal. Falou que *ele* conversava com Jesus o tempo todo. Até quando estava dirigindo. Aquilo ali me matou. Consigo até ver o fajutão filho de uma puta engatando a primeira e pedindo pra Jesus mandar mais uns presuntos. A única parte boa do discurso dele foi bem no meio. Ele estava dizendo como era bacanão, como era figurão e tal, aí, do nada, um sujeito sentado na minha frente, o Edgar Marsalla, soltou um peidão genial. Foi um negócio bem tosco de se fazer, ali na capela e tal, mas também foi divertido pacas. Grande Marsalla. Ele quase explodiu o teto da capela. Praticamente ninguém riu alto, e o nosso amigo Ossenburger fez que nem tinha escutado, mas o nosso amigo Thurmer, o diretor, estava sentado bem do lado dele no púlpito e tal, e deu pra ver que *ele* tinha escutado. *Rapaz*, como ele ficou puto. Ele não abriu a boca ali na hora, mas na noite seguinte decretou hora obrigatória de estudo pra todo mundo no prédio das salas de aula e apareceu lá pra fazer um discurso. Ele disse que o menino que tinha criado a perturbação na capela não merecia estar na Pencey. A gente tentou fazer o nosso amigo Marsalla lascar mais um, bem enquanto o nosso amigo Thurmer estava fazendo o seu discursinho, mas ele não estava a fim. Enfim, era lá que eu morava na Pencey. Na nossa amiga ala Memorial Ossenburger, no dormitório novo.

Foi bem bacana voltar pro meu quarto, depois de sair da casa do nosso amigo Spencer, porque todo mundo estava lá no jogo, e o aquecimento estava ligado no nosso quarto, pra dar uma variada. Estava meio aconchegante. Eu tirei o paletó e a gravata e desabotoei o colarinho da camisa; e aí pus um boné que eu tinha comprado em Nova York de manhã. Era um boné vermelho de caçador, com uma aba daquelas muito, mas muito compridas. Eu vi na vitrine de uma loja de artigos esportivos quando a gente saiu do metrô, logo depois de eu perceber que tinha perdido a droga das espadas. Custou uma doleta. O jeito que eu usava era que eu virava a aba assim pra trás — bem cafona, isso eu não vou negar, mas eu gostava daquele jeito. Ficava bonito assim. Aí eu peguei o livro que estava lendo e sentei na minha poltrona. Tinha duas poltronas em cada quarto. Eu tinha uma e o meu colega de quarto, o Ward Stradlater, tinha uma. Os braços estavam num estado lastimável, porque todo mundo vivia sentando ali, mas eram umas poltronas bem das confortáveis.

O livro que eu estava lendo era um livro que eu peguei na biblioteca por engano. Eles me deram o livro errado, e eu só fui perceber quando voltei pro quarto. Eles me deram *A fazenda africana*, da Isak Dinesen. Eu achei que ia ser uma droga, mas não era não. Era um livro bem bom. Eu sou bem analfabeto, mas leio muito. O meu escritor preferido é o meu irmão D.B., e o meu segundo preferido é o Ring Lardner. Meu irmão me deu um livro do Ring Lardner de presente de aniversário, logo antes de eu ir pra Pencey. Tinha umas peças doidas e engraçadas, e aí tinha um conto sobre um guardinha de trânsito que se apaixona por uma menina bem linda que sempre passa acima da velocidade máxima. Só que ele é casado, o guardinha, aí não pode casar com ela nem nada. Aí a moça morre, porque vive acima da velocidade máxima. Aquele conto praticamente me matou. O que eu mais adoro é um livro que é engraçado pelo menos de vez em quando. Eu leio montes de clássicos, que nem

O retorno do nativo e tal, e gosto, e leio pilhas de livros de guerra e de mistério e tal, mas esses não me derrubam tanto assim. O que me derruba mesmo é um livro que, quando você acaba de ler, você queria que o escritor fosse teu amigão de verdade, pra você poder ligar pra ele toda vez que desse vontade. Só que isso não acontece muito. Eu não ia achar ruim dar uma ligada pra essa Isak Dinesen. E pro Ring Lardner, só que o D.B. me disse que ele morreu. Mas veja lá aquele livro *Servidão humana*, do Somerset Maugham. Eu li agora no verão. É um livrinho bem bom e tal, mas eu não ia querer ligar pro Somerset Maugham. Não sei, ele simplesmente não é o tipo de sujeito que eu ia querer no telefone, e pronto. Eu preferia ligar pro nosso amigo Thomas Hardy. Gostei daquela Eustacia Vye.

Enfim, eu coloquei o meu boné novinho e sentei e comecei a ler aquele livro *A fazenda africana*. Eu já tinha lido, mas queria ler de novo umas partes. Só que eu não tinha lido nem três páginas quando ouvi alguém passando pela cortina do chuveiro. Sem nem olhar eu soube de cara quem era. Era o Robert Ackley, um sujeito que morava no quarto bem do lado do meu. Tinha um chuveiro entre cada dois quartos da nossa ala, e coisa de oitenta e cinco vezes por dia o nosso amigo Ackley vinha me interromper. Ele era provavelmente o único carinha ali no dormitório inteiro, fora eu, que não estava lá no jogo. Ele quase nunca saía *mes*mo. Era um sujeitinho muito do esquisito. Era veterano, e estava na Pencey já fazia quatro anos e tal, mas ninguém chamava ele de outra coisa, só de "Ackley". Nem o Herb Gale, que dividia quarto com ele, chamava o sujeito de "Bob", ou até de "Ack". Se um dia ele chegar a casar, provavelmente a mulher vai chamar ele de "Ackley". Era um daqueles caras muito, mas muito altos mesmo, meio corcundas — ele tinha coisa de um metro e noventa e três —, com uns dentes que eram uma porcaria.

Em todo o tempo que ele ficou morando ali do meu lado, nunquinha que eu vi ele escovar os dentes. Os dentes estavam sempre parecendo meio mofados, horrendos, e o sujeito quase que te dava engulhos se você visse aquela boca aberta no refeitório, cheia de purê de batata e de ervilha ou sei lá o quê. Além disso, ele tinha uma montoeira de espinhas. Não só na testa ou no queixo, que nem quase todo mundo, mas por tudo, no rosto inteiro. E não só isso, ele tinha uma personalidade horrorosa. E ainda era um carinha meio sacana. Eu não era exatamente louco por ele, pra te dizer a verdade.

Dava pra sentir ele parado na beirada do boxe, bem atrás da minha poltrona, dando uma espiada pra ver se o Stradlater estava por ali. Ele odiava o Stradlater e nunca entrava no quarto se o Stradlater estivesse por ali. Ele odiava *to*do mundo, quase.

Ele saiu do boxe e entrou no quarto. "Oi", ele falou. Ele sempre dizia oi como se estivesse de saco cheiíssimo, ou muito cansado. Ele não queria que você achasse que era uma vi*si*ta nem nada. Queria que você pensasse que ele entrou por eng*a*no, meu Deus do céu.

"Oi", eu disse, mas não tirei os olhos do livro. Com um sujeito que nem o Ackley, se você tirasse os olhos do livro, estava ralado. Você estava ralado de um *jei*to ou de outro, mas demorava um pouquinho mais se não olhasse pra ele já de cara.

Ele começou a andar pelo quarto, bem devagarzinho e tal, como sempre pegando as tuas coisas na tua mesa e na tua cômoda. Ele sempre pegava as tuas coisas pessoais pra olhar. Rapaz, como o sujeito dava nos nervos às vezes. "Como é que foi a esgrima?", ele disse. Ele só queria que eu parasse de ler e de me divertir. Estava se lixando pra esgrima. "A gente ganhou ou não ganhou?", ele falou.

"Ninguém ganhou", eu disse. Só que sem erguer os olhos.

"O quê?", ele disse. Ele sempre te fazia dizer tudo duas vezes.

"Ninguém ganhou", eu disse. Dei uma espiada pra ver o que que ele estava fuçando ali na minha cômoda. Ele estava olhando uma foto de uma menina com quem eu dava umas voltas com certa frequência lá em Nova York, a Sally Hayes. Ele deve ter pegado a desgraça daquela fotografia e olhado pra ela pelo menos umas cinco mil vezes desde que eu trouxe a foto. E ele sempre punha no lugar errado, quando acabava. Fazia de propósito. Dava pra você ver.

"Nin*guém* ganhou", ele disse. "Como assim?"

"Eu deixei a droga das espadas e coisa e tal no metrô." Eu ainda não estava olhando pra ele.

"No me*trô*, mas pelamordedeus! Cê *perdeu* tudo então?"

"A gente pegou o trem errado do metrô. Eu tinha que ficar levantando pra olhar a desgraça de um mapa na parede."

Ele chegou perto e ficou tapando a minha luz. "Poxa", eu disse. "Eu li essa mesma frase umas vinte vezes desde que você entrou."

Qualquer outra pessoa, fora o Ackley, ia entender a droga do recado. Mas ele não. "Cê acha que vão te fazer pagar?", ele disse.

"Sei lá, e estou pouco me lixando. Que tal *sentar* ou sei lá o quê, Ackley meu garoto? Você está tapando direitinho a desgraça da luz." Ele não gostava quando você chamava ele de "Ackley meu garoto". Vivia me dizendo que eu é que era uma droga de um garoto, porque eu tinha dezesseis anos e ele tinha dezoito. Ele ficava doido quando eu chamava ele de "Ackley meu garoto".

Ele ficou ali parado. Era exata*mente* o tipo de carinha que não saía da frente da luz quando você pedia. Uma hora ele *ia* sair, mas demorava bem mais se você *pedisse*. "Que droga é essa que cê tá lendo aí?", ele disse.

"Livrinho desgraçado."

Ele empurrou o meu livro com a mão pra poder ver o nome na capa. "E presta?", ele disse.

"Essa *fra*se que eu estou lendo é sensacional." Eu consigo ser bem sarcástico quando estou no clima. Mas ele nem se tocou. Começou a andar de novo pelo quarto, pegando todas as minhas coisas, e as do Stradlater. Acabou que eu larguei o livro no chão. Não dava pra você ler coisa nenhuma com um cara que nem o Ackley por ali. Era impossível.

Eu me afundei o mais que eu pude no diabo da poltrona e fiquei vendo o nosso amigo Ackley ir se acomodando. Eu estava meio cansado da viagem pra Nova York e tal, e comecei a bocejar. Aí comecei a fazer umas bobeiras. Às vezes eu faço um monte de bobeira, só pra não ficar de saco cheio. O que eu fiz foi que eu puxei pra frente a nossa amiga aba do boné de caçador, aí baixei em cima dos olhos. Assim eu não enxergava droga nenhuma. "Acho que eu estou ficando cego", eu disse com uma voz toda rouca. "Mãezinha querida, está ficando tão *escuro* aqui."

"Você é doido. Juro por Deus", o Ackley disse.

"Mãezinha querida, dá-me tua *mão*. Por que não me dás tua *mão*?"

"Pelamordedeus, larga de ser criança."

Eu comecei a tatear, que nem ceguinho, mas sem levantar nem nada. Eu ficava dizendo, "Mãezinha querida, por que não me dás tua *mão*?". Eu só estava de bobeira, lógico. Às vezes eu me divirto com essas. Sem contar que eu sei que aquilo estava deixando o nosso amigo Ackley irritado pra diabo. Ele sempre trouxe à tona o meu lado sádico. Eu era bem sádico com ele, o tempo todo. Só que eu acabei parando. Coloquei a aba de novo pra trás, e relaxei.

"O que é isso aqui?", o Ackley disse. Ele estava segurando a joelheira do meu colega de quarto pra me mostrar. Esse tal de Ackley pegava qual*quer* coisa. Ele era capaz de pegar a tua saqueira ou sei lá o quê. Eu disse que era do Stradlater. Aí ele jogou na cama do Stradlater. Tinha tirado da *cômoda* do Stradlater, então jogou na *cama*.

Ele chegou mais perto e sentou no braço da poltrona do Stradlater. Ele nunca sentava numa poltrona. Sempre só no braço. "Onde que cê me catou o diabo desse boné?", ele falou.

"Nova York."

"Quanto?"

"Um dólar."

"Te passaram a perna." Ele começou a limpar a desgraça das unhas com a ponta de um palito de fósforo. Ele vivia limpando as unhas. Era engraçado, até. Os dentes dele pareciam sempre mofados, e as orelhas viviam sujas que era o cão, mas ele vivia limpando as unhas. Acho que ele pensava que assim ficava um sujeito *arrumadinho*. Deu outra olhada pro meu boné enquanto limpava. "Pelamordedeus, lá em casa a gente usa um boné desse aí pra matar *cervo*", ele disse. "Isso aí é boné de matar cervo."

"Nem aqui nem no inferno." Eu tirei o boné e olhei bem. Eu meio que fechei um olho, como se estivesse mirando nele. "Isso aqui é um boné de matar gente", eu falei. "Eu mato gente com esse boné."

"A tua família sabe que te mandaram pastar, já?"

"Não."

"Mas cadê o diabo do Stradlater mesmo?"

"Lá no jogo. Ele tem um encontro." Eu bocejei. Eu estava bocejando pra tudo quanto era lado. Pra começo de conversa, o quarto estava quente pra diabo. Dava sono. Na Pencey, ou você morria congelado ou por causa do calor.

"O grande Stradlater", o Ackley disse. "Escuta. Me empresta a tua tesoura rapidinho aqui? Tá na mão?"

"Não. Eu já pus na mala. Está lá em cimão do armário."

"Pega lá rapidinho, vai?", o Ackley disse. "Eu estou com uma lasca de unha que eu quero cortar."

Ele não estava nem aí se você tinha ou não tinha posto alguma coisa na mala e ela estava lá em cimão do armário. Só que eu fui pegar pra ele. E ainda quase que eu morro. Na horinha que eu abri a porta do armário, a raquete de tênis do Stradlater — com a prensa de madeira e tal — caiu bem na minha cabeça. Fez um baita *estrondo*, e doeu pra diabo. Só que quase matou o nosso amigo Ackley. Ele começou a rir com uma voz de falsete bem fininha. Ficou rindo sem parar enquanto eu tirava a minha mala e pegava a tesoura pra ele. Uma coisa dessas — um sujeito tomando uma pancada na cabeça com uma pedra ou sei lá o quê — fazia o Ackley se mijar de rir. "Você tem um senso de humor supimpa, Ackley meu garoto", eu disse. "Quer saber?" Eu passei a tesoura. "Deixa eu ser teu agente. Eu vou te colocar na desgraça do rádio." Sentei de novo na minha poltrona, e ele começou a cortar aquelas unhonas que pareciam uns cascos. "Que tal usar a mesa ou sei lá o quê?", eu disse. "Corte em cima da mesa, pode ser? Eu não estou a fim de pisar descalço nessas tuas unhas asquerosas de noite." Só que ele ficou ali cortando bem no chão. Sujeitinho mal-educado. Sério.

"Com quem que o Stradlater vai sair?", ele disse. Ele sempre ficava acompanhando as meninas que o Stradlater namorava, por mais que odiasse o Stradlater.

"Sei lá eu. Por quê?"

"Por nada. Rapaz, eu não suporto aquele merdinha. Está aí um merdinha que eu não suporto mesmo."

"Ele adora *você*. Ele me disse que acha que você é um puta príncipe", eu disse. Eu fico sempre chamando as pessoas de "príncipe" quando estou de bobeira. Assim eu não fico de saco cheio ou sei lá o quê.

"Ele vive todo *cheio* de si", o Ackley disse. "Eu simplesmente não suporto o merdinha. Até parece que ele —"

"Você se incomoda de cortar essas tuas unhas asquerosas em cima da *mesa*, hein?", eu disse. "Eu já te pedi umas cinquenta —"

"O desgraçado vive todinho cheio de si", o Ackley disse. "Eu nem acho que o merdinha é inteligente. Ele *acha*. Ele acha que é o mais —"

"*Ack*ley! Pelamordedeus. *Dá* pra cortar a desgraça dessa unha asquerosa em cima da mesa? Eu já te pedi cinquenta vezes."

Ele começou a cortar as unhas em cima da mesa, pra dar uma variada. O único jeito de ele fazer alguma coisa era se você gritasse com ele.

Fiquei olhando um tempo pra ele. Aí eu disse, "O motivo de você estar puto com o Stradlater é porque ele falou aquilo de você de vez em quando dar uma escovada nos dentes. Ele não quis te ofender, caramba. Ele pode não ter *falado* do jeito certo nem nada, mas não queria que fosse ofensa. Ele só quis dizer que você ia ficar com uma cara melhor, e ia se *sentir* melhor se desse uma escovada nesses dentes de vez em quando".

"Eu escovo os dentes. Nem me venha com *essa*."

"Não, não escova. Eu te vi, e você não escova", eu disse. Só que eu não estava sendo sacana. Eu meio que tinha pena dele, até. Quer dizer, claro que não é muito bacana se alguém te diz que você não escova os dentes. "O Stradlater é joia. Ele não é ruim não", eu disse. "Você não conhece o sujeito, esse que é o problema."

"Eu continuo dizendo que ele é um merdinha. Um merdinha convencido."

"Ele é convencido, mas é bem generoso numas coisas. Generoso mesmo", eu disse. "Olha. Imagine, por exemplo, que o Stradlater está com uma gravata ou alguma coisa que você achou bacana. Digamos que ele está com uma gravata que você achou bacana pacas — estou só te dando um exemplo, agora. Sabe o que ele ia fazer? Ele provavelmente ia tirar a gravata e te dar. Ia mesmo. Ou — sabe o que ele ia fazer? Ele ia deixar na tua cama ou sei lá o quê. Mas ia te *dar* a desgraça da gravata. A maioria dos carinhas por aí provavelmente só ia —"

"*Diabo*", o Ackley disse. "Se eu tivesse a grana que ele tem, eu também dava."

"Não, não dava." Eu sacudi a cabeça. "Não dava não, Ackley meu garoto. Se você tivesse a grana que ele tem, você ia ser um dos maiores —"

"Pare de me chamar de 'Ackley meu garoto', droga. Eu tenho idade pra ser a porcaria do teu pai."

"Não, não tem." Rapaz, ele sabia ser chato às vezes. Ele nunca perdia a chance de lembrar que você tinha dezesseis anos e que ele estava com dezoito. "Pra começo de conversa, eu não ia deixar você *entrar* na droga da minha família", eu disse.

"Bom, só pare de me chamar de —"

Do nada, a porta se abriu, e o nosso amigo Stradlater se enfiou no quarto, apressado como o quê. Ele estava sempre apressado como o quê. Importante pacas. Ele chegou perto de mim e de brincadeira me deu dois tapões engraçadinhos pra diabo, um em cada bochecha — que é um negócio que pode ser bem irritante. "Escuta", ele disse. "Você vai em algum lugar especial de noite?"

"Não sei. Pode ser. Que diabo está acontecendo lá fora — está nevando?" Ele estava com o casaco todo coberto de neve.

"É. Escuta. Se você não vai em nenhum lugar especial, que tal me emprestar o teu casaco xadrez?"

"Quem ganhou o jogo?", eu disse.

"Ainda está na metade. A gente vai dar no pé", o Stradlater disse. "Sem brincadeira, você vai ou não vai usar o casaco xadrez hoje de noite? Eu derrubei alguma merda no meu de flanela cinza."

"Não, mas eu não quero que você alargue ele inteiro com essa desgraça desses teus ombrões enormes e tal", eu disse. A gente era praticamente da mesma altura, mas ele pesava mais ou menos o dobro. Ele tinha uns ombros bem largos.

"Eu não vou alargar." Ele foi apressadíssimo até o armário. "Como vai, Ackley, garotão?", ele disse ao Ackley. Pelo menos era um sujeito bem simpático, o Stradlater. Era um pouco uma simpatia meio fajuta, mas pelo menos ele sempre dizia oi pro Ackley e tal.

O Ackley meio que só grunhiu quando ele disse, "Como vai, garotão?". Ele não queria *responder*, mas não tinha brio pra deixar de pelo menos grunhir. Aí ele me disse, "Acho que eu vou andando. Até mais".

"Certo", eu falei. Nunca era exatamente uma decepção quando ele voltava pro quarto dele.

O nosso amigo Stradlater começou a tirar casaco, gravata e tal. "Acho que eu posso até fazer a barba rapidinho", ele disse. Ele tinha uma barba bem cerrada. Tinha mesmo.

"Cadê a tua menina?", eu perguntei.

"Está esperando no anexo." Ele saiu do quarto com a toalha e o kit de banho embaixo do braço. Sem camisa nem nada. Ele sempre andava por ali sem camisa porque achava que tinha um físico bonito pacas. E tinha mesmo. Isso eu não vou negar.

4

Eu não tinha nada especial pra fazer, então fui até o banheiro e fiquei trocando figurinha com ele enquanto ele fazia a barba. Só tinha a gente no banheiro, porque todo mundo ainda estava lá no jogo. Estava quente pra diabo e as janelas estavam todas embaçadas. Eram umas dez pias, todas contra a parede. O Stradlater estava na do meio. Eu sentei na que ficava bem do lado dele e comecei a abrir e fechar a água fria — é um costume que eu tenho, nervosismo. O Stradlater ficava assoviando "Song of India" sem parar enquanto fazia a barba. Ele tinha um daqueles assovios fininhos que praticamente nunca saem afinados, e ele sempre pegava uma música ruim de assoviar mesmo pra quem é *bom* de assovio, que nem "Song of India" ou "Slaughter on Tenth Avenue". Ele era bom pacas em ferrar com as músicas.

Lembra que eu já falei que o Ackley era desleixado com a higiene pessoal? Bom, o Stradlater também era, mas de um jeito diferente. O Stradlater estava mais pra um desleixado secreto. Ele sempre estava com uma *aparência* boa, o Stradlater, mas por exemplo você tinha que ver a navalha que ele usava pra fazer a barba. Estava sempre enferrujada pra diabo e toda suja de espuma e pelos e essas merdas. Ele nunca limpava nem nada. Estava sempre com uma *aparência* boa quando terminava de se ajeitar, mas ainda assim era um desleixado secreto, pra quem conhecia o sujeito que nem eu. O motivo dele se ajeitar pra ficar com uma cara boa era que ele morria de amor por si próprio. Se achava o sujeito mais bonito do hemisfério ocidental. E *era* bem bonito mesmo — isso eu não vou negar. Mas era mais o tipo de bonito que se os teus pais vissem a foto dele no Anuário eles já de cara iam dizer "Quem é *esse* garoto?". Quer dizer, ele era mais um tipo de bonitão de Anuário. Eu conhecia um monte de sujeitos na Pencey que eu achava que eram mais bonitos que o Stradlater, mas eles não iam parecer bonitos se você visse a foto deles no Anuário. Ia parecer que eles tinham um narigão, ou orelha de abano. Eu tive essa experiência várias vezes.

Enfim, eu estava sentado na pia do lado daquela onde o Stradlater estava fazendo a barba, meio que abrindo e fechando a torneira. Eu ainda estava com o meu boné vermelho de caçador, com a aba virada bem pra trás e tal. Eu estava me divertindo pacas com aquele boné.

"Escuta", o Stradlater disse. "Quer me fazer um favor dos grandes?"

"O quê?", eu disse. Não muito empolgado. Ele vivia te pedindo um favor dos grandes. Você veja lá um sujeito bem bonito, ou um sujeito que acha que é um verdadeiro figurão, eles vivem te pedindo um favor dos grandes. Só porque *eles são* doidos por si próprios, acham que *você* também *é* doido por eles e está morrendo de vontade de fazer algum favor. Não deixa de ser meio engraçado, até.

"Você vai sair hoje de noite?", ele disse.

"Pode ser que sim. Pode ser que não. Não sei. Por quê?"

"Eu tenho que ler umas cem páginas pra aula de história de segunda", ele disse. "Que tal escrever uma redação pra mim, pra aula de inglês? Eu vou me danar se não entregar essa desgraça segunda, por isso que eu estou te pedindo. Que tal?"

Era irônico. Ah, era.

"*Sou eu* que vou ser expulso da desgraça dessa escola, e *é você* que está me pedindo pra te escrever uma droga de uma redação", eu disse.

"É, eu sei. Só que o negócio é que eu vou me danar se não entregar. Seja camarada. Seja camaradinha. Tudo bem?"

Eu não respondi logo de cara. Suspense é bom pra uns filhos da puta da estirpe do Stradlater.

"Sobre o quê?", eu disse.

"Qual*quer* coisa. Qualquer descrição. Um quarto. Ou uma casa. Ou algum lugar onde você morou ou sei lá o quê — *você* que sabe. Desde que seja descritivo pra diabo." Ele soltou um bocejão quando disse isso. Que é um negócio que me deixa pra lá de emputecido. Quer dizer, se a pessoa *boceja* bem quando está te pedindo uma droga de um favor. "Só não faça bom *demais*, só isso", ele disse. "Aquele merdinha do Hartzell acha que você é um figurão do inglês, e ele sabe que você é meu colega de quarto. Então, assim, não vá me meter tudo quanto é vírgula no lugar certo e tal."

Está aí outra coisa que me deixa pra lá de emputecido. Quer dizer, se você é bom nisso de escrever redação e alguém começa a falar de vírgula. O Stradlater vivia fazendo isso. Ele queria que você achasse que o único motivo *dele* escrever umas redações que eram uma porcaria era que ele colocava as vírgulas e coisa e tal no lugar errado. Ele era meio parecido com o Ackley nisso. Uma vez eu sentei do lado do Ackley num jogo de basquete. A gente tinha um sujeito sensacional no time, o Howie Coyle, que conseguia fazer umas cestas lá do meio da quadra, sem nem relar na tabela nem nada. O Ackley ficou a droga do jogo inteirinho dizendo que o Coyle tinha o *físico* ideal pra jogar basquete. Jesus, como eu odeio esse negócio.

Depois de um tempo me encheu o saco ficar ali sentado na pia, aí eu recuei um pouco e comecei a dar uma sapateada, só de farra. Eu estava só me distraindo. Eu nem sei sapatear nem nada, mas o piso do banheiro era de pedra, e era bom pra sapatear. Comecei a imitar um desses caras do cinema. Num daqueles *musicais* lá. Eu fujo de cinema que nem o diabo foge da cruz, mas me divirto imitando os filmes. O nosso amigo Stradlater ficou me olhando no espelho enquanto fazia a barba. Eu só preciso de uma plateia. Eu sou um exibicionista. "Eu sou o desgramado do filho do governador", eu disse. Eu estava rolando de rir. Sapateando pra tudo quanto era lado. "Ele não quer que eu seja sapateador. Quer que eu vá estudar em Oxford. Mas o sapateado está na droga do meu sangue." O nosso amigo Stradlater riu. Ele não tinha um senso de humor dos piores não. "É a noite de estreia das *Ziegfeld Follies*." Eu estava ficando sem ar. Eu quase não tenho fôlego. "O artista principal não consegue mais. Está mais bêbado que um filho da puta. Aí quem é que eles chamam pra ficar no lugar dele? Euzinho, ora bolas. O filhinho desgramado do seu governador."

"Onde é que cê arrumou esse boné?", o Stradlater disse. Ele estava falando do meu boné de caçador. Ele nunca tinha visto.

Eu já estava sem ar mesmo, então parei de fazer bobeira. Tirei o boné e olhei pra ele pela nonagésima vez, mais ou menos. "Eu comprei em Nova York hoje de manhã. Por uma doleta. Gostou?"

O Stradlater fez que sim com a cabeça. "Grã-fino", ele disse. Só que ele estava só me bajulando, porque logo de cara ele disse, "Escuta. Você vai escrever aquela redação pra mim? Eu tenho que saber".

"Se eu tiver tempo, eu escrevo. Se não tiver, não escrevo", eu disse. Fui pra perto dele e sentei de novo na pia ali do lado. "Com quem você vai sair?", eu perguntei. "Com a Fitzgerald?"

"Nem a pau! Eu te disse. Cansei daquela lambisgoia."

"Ah, é? Passa pra mim, rapaz. Sem brincadeira. Ela é o meu tipo."

"Pode ficar com ela... Ela é velha demais pra você."

Do nada — sem motivo nenhum, mesmo, fora que eu estava meio que no clima de fazer bobeira —, me deu uma vontade de pular da pia e dar um mata-leão no nosso amigo Stradlater. É uma imobilização de luta livre, caso você não saiba, que você pega o outro carinha pelo pescoço e mata asfixiado, se estiver a fim. Então eu fiz isso. Caí em cima do desgraçado que nem uma pantera.

"Para com isso, Holden, pelamordedeus!", o Stradlater disse. Ele não estava a fim de fazer bobeira. Estava fazendo a barba e tal. "O que cê quer fazer comigo — me arrancar a droga da cabeça?"

Só que eu não soltei. Eu estava dando um mata-leão bem decentinho no sujeito. "Quero ver tu te livrares de minha pegada facinorosa", eu disse.

"Jesus *amado*." Ele largou a navalha e, do nada, ergueu os braços com força e se livrou de mim. Era um sujeitinho bem forte. Eu sou um sujeitinho bem fraco. "Agora, para com essa merda", ele disse. Começou a fazer a barba de novo. Ele sempre fazia duas vezes, pra ficar lindo. Com aquela navalha velha e asquerosa.

"Com quem é que você *vai* sair, se não é com a Fitzgerald?", eu perguntei. Sentei de novo na pia ali do lado. "Com aquela Phyllis Smith?"

"Não. Em teoria era pra ser com ela, mas deu tudo errado na hora de combinar. Eu agora fiquei com a colega de quarto da menina do Bud Thaw... Puxa. Quase ia esquecendo. Ela conhece *você*."

"Quem?", eu disse.

"A menina que vai sair comigo."

"Ah, é?", eu disse. "Como é que ela chama?" Eu estava bem interessado.

"Deixa eu ver... Hã. Jean Gallagher."

Rapaz, eu quase caí *duro* quando ele disse aquilo.

"*Jane* Gallagher", eu disse. Até desci da pia quando ele disse aquilo. Eu quase caio durinho da silva. "Cacete, certamente que eu conheço. Ela morou praticamente do meu *lado*, no verão do ano passado. Ela tinha uma desgraça de um dobermann imenso. Foi assim que a gente se conheceu. O cachorro dela ficava entrando no nosso —"

"Você está tapando direitinho a luz, Holden, pelamordedeus", o Stradlater disse. "Cê tem que ficar bem aí?"

Só que, rapaz, como eu estava empolgado. Estava mesmo.

"Cadê ela?", eu perguntei. "Eu devia descer e dar um oi pra ela ou sei lá o quê. Cadê ela? No anexo?"

"É."

"Como foi que ela acabou falando de mim? Ela está na B.M. agora? Ela disse que podia se matricular lá. Disse que podia ir pra Shipley também. Achei que ela tinha acabado na Shipley. Como foi que ela acabou falando de mim?" Eu estava bem empolgado. Estava mesmo.

"Sei lá *eu*, pelamordedeus. Será que dá pra levantar? Você está sentado na minha toalha", o Stradlater disse. Eu estava em cima da toalha idiota lá dele.

"Jane Gallagher", eu disse. Eu não conseguia me conformar. "Jesus Cristinho."

O nosso amigo Stradlater estava passando Vitalis no cabelo. O *meu* Vitalis.

"Ela dança", eu disse. "Balé de verdade e tal. Ela treinava coisa de duas horas por dia, bem na época mais quente do ano e tal. Ficava com medo de acabar deixando as pernas feias — grossonas e tal. Eu jogava damas com ela o tempo todo."

"*O que* que você jogava com ela o tempo todo?"

"Damas."

"*Damas*, pelamordedeus!"

"É. Ela não mexia as damas. O que ela fazia, quando conseguia uma dama, era que ela não mexia mais. Só deixava a dama paradinha lá na última fileira. E aí nunca usava. Ela só gostava de ver elas todas ali na última fileira."

O Stradlater não abriu a boca. Esse tipo de coisa não interessa muita gente.

"A mãe dela era do mesmo clube que a gente", eu disse. "Eu trabalhava de caddie de vez em quando, só pra ganhar uma grana. Eu fui caddie da mãe dela umas vezes. Ela fazia coisa de cento e setenta, pra nove buracos."

O Stradlater mal estava ouvindo. Estava penteando as suas lindas madeixas.

"Eu devia descer e pelo menos dar um oizinho pra ela", eu falei.

"Vambora?"

"Já vou, só um minutinho."

Ele começou a repartir o cabelo de novo. Ele levava coisa de uma hora pra pentear o cabelo.

"A mãe e o pai dela eram divorciados. A mãe casou de novo com um bebum lá", eu disse. "Um sujeitinho magrelo com umas pernas cabeludas. Eu lembro dele. Ficava o tempo todo de bermuda. A Jane dizia que em teoria ele era dramaturgo ou alguma desgraça assim, mas *eu* só via era ele entornando bebida o tempo todo e escutando tudo quanto era programinha de mistério na droga do rádio. E andando pela droga da casa, pelado. Com a *Jane* ali e tal."

"Ah, é?", o Stradlater disse. Aquilo deixou ele interessado de verdade. Aquilo do bebum andando pelado pela casa, com a Jane ali. O Stradlater era um filho da puta muito do sexual.

"Ela teve uma porcaria de uma infância. Sem brincadeira."

Só que isso não deixou o Stradlater interessado. Ele só se interessava pelas coisas mais sexuais.

"Jane Gallagher. Santo Deus." Eu não conseguia tirar ela da cabeça. Não conseguia mesmo. "Eu devia descer e dar um oi pra ela, pelo menos."

"Por que diabos você *não* vai, em vez de ficar repetindo isso aí?", o Stradlater disse.

Eu fui até a janela, mas não dava pra você ver do outro lado, de tão embaçada que estava por causa do calor ali no banheiro... "Eu não estou no clima agora", eu disse. E não estava mesmo. Você tem que estar no clima pra essas coisas. "Eu achava que ela estava na Shipley. Podia jurar que ela estava na Shipley." Eu fiquei um tempinho andando pelo banheiro. Eu não tinha mais o que fazer. "E ela gostou do jogo?", eu disse.

"Gostou, acho que gostou. Sei lá."

"Ela te contou que a gente jogava damas o tempo todo, ou alguma outra coisa?"

"Sei lá. Pelamordedeus, eu acabei de *conhecer* a menina", o Stradlater disse. Ele tinha acabado de pentear a desgraça daquele cabelo maravilhoso. Estava guardando aquelas coisas de banho asquerosas.

"Escuta. Manda um abraço, está certo?"

"Tá", o Stradlater disse, mas eu sabia que ele provavelmente não ia mandar. Você veja lá um sujeito que nem o Stradlater, eles nunca mandam os teus abraços pros outros.

Ele voltou pro quarto, mas eu fiquei mais um pouco ali no banheiro, pensando na nossa amiga Jane. Aí também voltei pro quarto.

O Stradlater estava dando nó na gravata, na frente do espelho. Eu sentei na minha poltrona e meio que fiquei um tempo olhando ele.

"Olha", eu disse. "Não conte pra ela que eu fui expulso, tudo bem?"

"Tá."

Estava aí uma coisa boa com o Stradlater. Você não precisava explicar cada negocinho de nada pra ele, que nem precisava fazer com o Ackley. Isso era mais, acho eu, porque ele não estava nem aí. No duro, era por isso. Com o Ackley era diferente. O Ackley era um sujeitinho pra lá de enxerido.

Ele vestiu o meu casaco xadrez.

"Santo Deus, mas vê se tenta não alargar isso aí pra tudo quanto é lado", eu disse. Eu só tinha usado o casaco umas duas vezes.

"Não vou alargar. Cadê o diabo do meu cigarro?"

"Em cima da escrivaninha." Ele nunca sabia onde deixava as coisas. "Embaixo do teu cachecol." Ele colocou o cigarro no bolso do casaco — do *meu* casaco.

Eu, do nada, puxei a aba do boné de caçador pra frente, pra dar uma variada. Eu estava meio que ficando nervoso, do nada. "Escuta só, onde é que você vai levar a Jane?", eu perguntei. "Cê já sabe?"

"Não sei. Nova York, se der tempo. Ela só pegou autorização até nove e meia, pelamordedeus."

Eu não gostei do jeito dele falar aquilo, então eu disse, "O motivo dela ter feito isso é que provavelmente ela não tinha ideia do filho de uma puta bonitão e charmoso que você é. Se *soubesse*, ela provavelmente ia ter pegado uma autorização até nove e meia da *manhã*".

"Certamente", o Stradlater disse. Não era moleza deixar ele contrariado. Ele era cheio de si demais. "Agora, sério. Escreve aquela redação pra mim", ele disse. Estava com o casaco, e estava prontinho pra sair. "Não exagera e tal, mas só deixe descritivo pra diabo. Está certo?"

Eu não respondi. Eu não estava a fim. A única coisa que eu disse foi, "Pergunte se ela ainda deixa as damas todas na última fileira".

“Certo”, o Stradlater disse, mas eu sabia que ele não ia perguntar. “Se cuide, então.” Ele saiu voando do quarto.

Eu fiquei lá sentado uma meia hora depois que ele saiu. Quer dizer, só fiquei lá sentado na minha poltrona, sem fazer nada. Eu ficava pensando na Jane, e no Stradlater dando umas voltas com ela e tal. Aquilo foi me deixando tão nervoso que eu quase pirei. Eu já te falei como o filho da puta do Stradlater era sexual.

Do nada, o Ackley me apareceu de novo, pela porcaria da cortina do chuveiro, como sempre. Estava aí uma vez nessa minha vida idiota que eu fiquei feliz de ver o sujeito. Ele me distraiu das outras coisas.

Ele foi ficando até a hora do jantar, falando dos outros carinhas da Pencey que ele detestava, e espremendo uma espinhona no queixo. Ele nem usou o lenço. Acho que o filho da puta nem lenço *tinha*, se você quer saber a verdade. Eu nunca vi ele usar, pelo menos.

5

A gente sempre comia a mesma coisa no sábado à noite lá na Pencey. Em teoria era pra ser grandes coisas, porque te davam um bife. Aposto mil pratas que o motivo deles fazerem isso era porque um monte de pais dos carinhas apareciam na escola no domingo, e o nosso amigo Thurmer provavelmente sacou que a mãe de todo mundo ia perguntar pros queridinhos o que eles tinham jantado na noite anterior, e eles iam dizer, "Bife". Que engodo. Você tinha que ver aqueles bifes. Eram uns trecos duros e secos que mal dava pra cortar. Sempre tinha um purê de batata todo calombento na noite do bife, e de sobremesa uma tortinha de fruta que ninguém comia, fora talvez os pequenininhos do primário que não sabiam de nada mesmo — e uns caras que nem o Ackley, que comiam qual*quer* coisa.

Só que foi legal quando a gente saiu do refeitório. Tinha quase dez centímetros de neve no chão, e ainda estava caindo neve de um jeito demente. Estava bonito pra diabo, e todo mundo começou a jogar bola de neve e fazer bobeira por tudo quanto era lado. Foi bem infantil, mas todo mundo estava se divertindo pacas.

Eu não ia sair com ninguém nem nada assim, então eu e um amigo meu, o Mal Brossard, que era da equipe de luta livre, decidimos que a gente ia pegar um ônibus pra Agerstown e comer um hambúrguer ou quem sabe ver um filminho porcaria. Ninguém ali estava a fim de passar a noite mofando no sofá. Perguntei pro Mal se ele achava ruim o Ackley ir com a gente. O motivo de eu ter perguntado era porque o Ackley nunca fazia *na*da sábado de noite, fora ficar no quarto e espremer espinha ou sei lá mais o quê. O Mal disse que não *achava ruim* mas que não morria de amores pela ideia. Ele não gostava muito do Ackley. Enfim, a gente foi cada um pro seu quarto pra se arrumar e tal, e enquanto eu estava calçando as galochas e aquela merda toda, dei um berro e perguntei pro nosso amigo Ackley se ele queria ir ao cinema. Claro que ele conseguia me escutar direitinho do outro lado da cortina do chuveiro, mas não me respondeu logo de cara. Era bem o tipinho do sujeito que detesta te responder logo de cara. Finalmente ele apareceu, passando pela porcaria da cortina, e ficou na beiradinha do boxe e perguntou quem mais que ia. Ele sempre tinha que saber quem ia. Juro pra você que se aquele cara naufragasse em algum lugar, e você chegasse numa droga de um bote pra resgatar o desgramado, ele ia querer saber antes até de subir no bote quem era o cara que estava remando. Eu disse que o Mal Brossard ia junto. Ele disse, "*Aquele* filho de uma puta… Tudo bem. Espera um segundinho". Era de você pensar que ele estava te fazendo um grande favor.

Ele levou umas cinco horas pra ficar pronto. Enquanto ele se preparava, eu fui até a minha janela, abri o vidro e fiz uma bola de neve com as mãos mesmo. A neve estava ótima pra fazer bola. Só que eu não joguei a bola nem nada. Eu *fui* jogar. Num carro estacionado do outro lado da rua. Mas mudei de ideia. O carro estava tão bonito e branquinho. Aí fui jogar num hidrante, mas ele também estava tão bonito e branquinho. Acabou que eu não joguei em nada. A única coisa que eu fiz foi fechar a janela e ficar andando pelo quarto com a bola de neve, apertando cada vez mais. E um pouco mais tarde eu ainda estava com aquela bola quando eu e o

Brossard e o Ackley entramos no ônibus. O motorista abriu a porta e me fez jogar a bola fora. Eu *disse* pra ele que não ia jogar em ninguém, mas ele não quis acreditar. As pessoas nunca acreditam em você.

Tanto o Brossard quanto o Ackley tinham visto o filme que estava passando, então acabou que a única coisa que a gente fez foi comer uns hambúrgueres e jogar um pouquinho de pinball, e aí a gente pegou o ônibus pra voltar pra Pencey. Eu nem fazia questão de ver o filme mesmo. Era uma comédia, em teoria, com o Cary Grant, e essa merda toda. Sem contar que eu já tinha ido ao cinema com o Brossard e o Ackley. Os dois riam que nem hiena de uns negócios que nem eram engraçados. Eu nem gostava de sentar perto deles no cinema.

Eram só umas oito e quarenta e cinco quando a gente voltou pro dormitório. O nosso amigo Brossard era louco por bridge, e começou a procurar um joguinho no dormitório. O nosso amigo Ackley estacionou no meu quarto, só pra variar. Mas em vez de sentar no braço da poltrona do Stradlater ele deitou na minha cama. Com a cara bem no meu travesseiro e tal. Ele começou a falar com uma voz pra lá de monótona, e a cutucar aquela montoeira de espinhas. Eu dei umas mil indiretas, mas não consegui me livrar dele. Ele só ficava lá falando com aquela voz pra lá de monótona sobre uma menina com quem ele supostamente teve relação sexual no verão. Ele já tinha me contado isso umas cem vezes. Toda vez que ele contava era diferente. Uma hora eles estavam mandando ver no Buick do primo dele, na outra estavam mandando ver embaixo de algum píer. Era tudo cascata, lógico. Ponho a mão no fogo que aquilo ali era virgem. Duvido até que já tivesse passado a mão em alguém. Enfim, acabou que eu tive que ser direto e dizer pra ele que tinha que escrever uma redação pro Stradlater, e que ele tinha que zarpar dali, pra eu poder me concentrar. Ele acabou indo embora, mas sem pressa, como sempre. Depois que ele saiu, eu botei o pijama e o roupão e o boné de caçador, e comecei a escrever a redação.

O negócio é que eu não conseguia pensar num quarto ou numa casa nem em nada pra descrever como o Stradlater disse que eu tinha que fazer. Eu nem morro muito de amores por descrever quarto e casa mesmo. Então o que eu fiz foi que eu escrevi sobre a luva de beisebol do meu irmão Allie. Era um tema bem descritivo. Era mesmo. O meu irmão Allie tinha uma luva canhota de defensor. Ele era canhoto. Só que o negócio que era descritivo ali era que ele escreveu uns poemas nos dedos e na palma e na luva inteira. Com tinta verde. Ele escreveu os poemas pra ter alguma coisa pra ler quando estava no campo e ninguém estava rebatendo. Ele já morreu. Teve leucemia e morreu quando a gente estava lá no Maine, no dia 18 de julho de 1946. Você ia ter gostado dele. Ele era dois anos mais novo que eu, mas umas cinquenta vezes mais inteligente. A inteligência dele era um negócio sensacional. Os professores dele viviam escrevendo cartas pra minha mãe, dizendo que prazer que era ter um menino como o Allie na sala. E não estavam só mandando cascata. Era no duro. Mas não era só que ele fosse o membro mais inteligente da família. Ele também era o mais bacana, em tudo que você possa imaginar. Ele nunca ficava bravo com ninguém. Dizem que os ruivos em teoria ficam bravos bem fácil, mas o Allie nunca ficava, e o cabelo dele era bem vermelho. Eu vou te contar o tipo de cabelo vermelho que ele tinha. Eu comecei a jogar golfe quando tinha só dez anos de idade. Eu lembro uma vez, no verão em que eu estava com uns doze, lá no gramado e tal, de ter um palpite que se eu virasse assim, do nada, ia ver o Allie. Aí eu virei, e batata que ele estava lá sentado na bicicleta do outro lado da cerca — tinha lá uma cerca que dava a volta no campo inteiro — e ele estava sentado lá, uns cento e cinquenta metros atrás de mim, vendo a minha primeira tacada. Era esse tipo de cabelo vermelho que ele tinha. Mas, meu Deus, como ele era bacana. Ele ria tanto de alguma coisa que ele tinha pensado na hora do jantar que praticamente caía da cadeira. Eu estava com treze anos só, e eles iam mandar me psicanalisar e tal, porque eu quebrei todos os vidros da garagem. E eu nem posso reclamar. Não mesmo. Eu dormi na garagem na noite que ele morreu, e quebrei a droga daqueles vidros todos com a mão, só de farra. Até tentei quebrar todas as janelas da perua que a gente tinha naquele verão, mas a essa altura eu já estava com a mão quebrada e coisa e tal, e não consegui. Foi um negócio muito idiota de se fazer, isso eu não vou negar, mas eu mal sabia o que estava fazendo, e você não conheceu o Allie. A minha mão ainda me dói de vez em quando, quando chove e tal, e eu não consigo mais fechar o punho de verdade — não assim com força, quer dizer —, mas fora isso eu nem me ralo muito. Quer dizer, eu não vou ser cirurgião nem violinista, cacete, nem nada *mes*mo.

Enfim, foi sobre isso que eu escrevi na redação do Stradlater. A luva de beisebol do nosso amigo Allie. Por acaso ela estava comigo, ali na minha mala, então eu peguei a luva e copiei os poemas que estavam escritos. Eu só tive foi que trocar o nome do Allie pra ninguém saber que era o meu irmão e não do Stradlater. Eu não estava morrendo de vontade de fazer aquilo, mas não consegui pensar em mais nada de descritivo. Sem contar que eu meio que gostei de escrever sobre aquele negócio. E levou uma hora, porque eu tive que usar a porcaria da máquina de escrever do Stradlater e ela ficava travando. O motivo de eu não usar a minha era que eu tinha emprestado pra um cara de outro quarto.

Eram umas dez e meia, acho, quando eu acabei. Só que eu não estava cansado, aí fiquei um tempinho olhando pela janela.

Não estava mais nevando, mas de vez em quando dava pra ouvir um carro que não conseguia dar partida, em algum lugar. Também dava pra ouvir o nosso amigo Ackley roncando. Até do outro lado da desgraça da cortina do chuveiro dava pra ouvir o sujeito. Ele tinha sinusite e não conseguia respirar legal quando estava dormindo. O cara tinha praticamente de tudo. Sinusite, espinhas, uns dentes que eram uma porcaria, mau hálito, unha asquerosa. Você tinha que ter uma certa pena daquele maluco filho de uma puta.

6

Tem coisa que é duro lembrar. Eu estou pensando agora em quando o Stradlater voltou do encontro com a Jane. Quer dizer, eu não consigo lembrar exatamente o que eu estava fazendo quando ouvi os passos idiotas daquele desgraçado atravessando o corredor. Eu provavelmente ainda estava olhando pela janela, mas juro que não lembro. Eu estava preocupado pacas, é por isso. Quando eu me preocupo de verdade com alguma coisa, eu não deixo por menos. Eu até preciso ir ao banheiro quando fico preocupado com alguma coisa. Só que eu não vou. Eu fico preocupado demais e não consigo. Eu não quero interromper a preocupação pra poder ir. Se você conhecesse o Stradlater, também ia se preocupar. Eu já tinha saído umas vezes com ele, em dois casais, e sei do que eu estou falando. Ele era inescrupuloso. Era mesmo.

Enfim, o corredor era todo de linóleo e tal, e dava pra ouvir os passos do desgramado vindo direto pro quarto. Eu nem lembro onde eu estava sentado quando ele entrou — na frente da janela, ou na minha poltrona ou na dele. Juro que não lembro.

Ele entrou resmungando por causa do frio. Aí disse, "Cadê todo mundo, diabo? Essa porcaria aqui está parecendo um necrotério". Eu nem me dei ao trabalho de responder. Se o desgraçado era tão idiota que não percebia que era sábado de noite e que todo mundo estava na rua ou dormindo ou passando o fim de semana em casa, eu é que não ia me virar pra explicar. Ele começou a tirar a roupa. Não disse uma droga de uma palavra sobre a Jane. Nem uminha. E nem eu. Eu só fiquei de olho. A única coisa que ele fez foi que ele me agradeceu por deixar ele usar o casaco. Ele pendurou num cabide e colocou no armário.

Aí, quando estava tirando a gravata, ele me perguntou se eu tinha escrito a droga da redação pra ele. Eu disse que estava em cima da desgraça da cama dele. Ele foi até lá e leu enquanto ia desabotoando a camisa. Ficou ali, lendo, e meio que passando a mão no peito nu e na barriga, com uma cara pra lá de idiota. Ele vivia passando a mão na barriga ou no peito. Ele era louco por si próprio.

Do nada, ele disse, "Pelamordedeus, Holden. Isso aqui é sobre uma droga de uma luva de beise*bol*".

"E daí?", eu disse. Frio pra diabo.

"Como, *e daí*? Eu te falei que tinha que ser sobre uma droga de um *quarto* ou uma casa ou sei lá o quê."

"Você disse que tinha que ser uma descrição. Que diabo de diferença tem se é sobre uma luva de beisebol?"

"Caramba." Ele estava puto pra diabo. Estava furioso mesmo. "Você sempre faz tudo cagado." Ele estava olhando pra mim. "Está na cara que iam te mandar pastar", ele disse. "Você não faz *nadinha* do jeito certo. Sério. Nadinha."

"Tudo bem, devolve aqui, então", eu disse. Fui lá e arranquei a redação da mão dele. Aí rasguei tudo.

"Mas por que diabo você foi me fazer uma coisa *dessa*?", ele disse.

Eu nem respondi. Só joguei os pedacinhos no cesto de lixo. Aí deitei na minha cama, e nós dois ficamos um tempão sem abrir a boca. Ele tirou a roupa toda, ficou só de cueca, e eu fiquei ali deitado e acendi um cigarro. Você não podia fumar no dormitório, mas dava pra fumar de noitão quando todo mundo estava dormindo ou na rua e ninguém ia sentir o cheiro da fumaça. Sem contar que eu estava fazendo aquilo pra irritar o Stradlater. Ele ficava doido quando você violava alguma regra. Ele nunca fumava no dormitório. Era só eu.

Ele ainda não tinha dito necas sobre a Jane. Aí finalmente eu disse, "Você voltou bem tarde se ela só pegou autorização até as nove e meia. Por acaso você fez ela voltar atrasada?".

Ele estava sentado na beira da cama, cortando a desgraça das unhas do pé, quando eu fiz essa pergunta. "Uns minutinhos", ele disse. "Quem é que me pede autorização até nove e meia num sábado à noite, diabo?" *Meu Deus*, como eu detestava aquele cara.

"Vocês foram pra Nova York?", eu disse.

"Pirou? Como é que a gente podia ir pra Nova York se ela só pegou autorização até nove e meia, diabo?"

"Aí é duro."

Ele olhou pra mim. "Escuta", ele disse, "se você quer fumar no quarto, que tal ir fumar lá no banheiro? *Você* pode estar zarpando aqui desse inferno, mas eu tenho que ficar até conseguir me formar."

Eu ignorei o sujeito. Ignorei mesmo. Continuei ali fumando feito um demente. A única coisa que eu fiz foi que eu meio que virei de lado e fiquei vendo ele cortar a desgraça das unhas do pé. Que escola. Você vivia vendo alguém cortar a desgraça das unhas do pé ou espremer espinha ou sei lá o quê.

"Você mandou o meu abraço?", eu perguntei.

"Mandei."

Mandou o cacete, aquele filho da puta.

"Que foi que ela falou?", eu disse. "Você perguntou se ela ainda deixa as damas todas na última fileira?"

"*Não*, eu não perguntei. Que diabo você acha que a gente ficou fazendo a noite toda — jogando damas, pelamordedeus?"

Eu nem respondi. Meu Deus, como eu detestava aquele cara.

"Se vocês não foram pra Nova York, onde que cê foi com ela?", eu perguntei, depois de um tempinho. Eu mal estava conseguindo evitar que a minha voz saísse toda tremida. Rapaz, como eu estava ficando nervoso. É que eu estava com uma *sensação* de que alguma coisa tinha saído esquisita.

Ele tinha acabado de cortar a desgraça das unhas do pé. Aí levantou da cama, só com a droga da cueca e tal, e começou a ficar engraçadinho pacas. Ele veio até a minha cama e começou a se debruçar por cima de mim e dar uns socos engraçadinhos no meu ombro. "Para com isso", eu disse. "Onde é que você foi com ela se vocês não foram pra Nova York?"

"Lugar nenhum. A gente só ficou na droga do carro." Ele me deu mais um soco engraçadinho no ombro.

"*Para* com isso", eu falei. "Qual carro?"

"Do Ed Banky."

Ed Banky era o técnico de basquete da Pencey. O nosso amigo Stradlater era um dos queridinhos dele, porque era o pivô do time, e o Ed Banky sempre deixava ele pegar o carro emprestado quando queria. Os alunos eram proibidos de pegar os carros dos professores, mas os filhos da puta lá dos esportes sempre se defendiam. Em toda escola onde eu me matriculei, os filhos da puta dos esportes sempre se defendem.

O Stradlater não parava de me dar aqueles soquinhos no ombro, como se estivesse boxeando sozinho. Ele estava com a escova de dentes na mão, e pôs na boca. "O que foi que você fez?", eu disse. "Mandou ver na desgraça do carro do Ed Banky?" A minha voz estava tremendo que era um horror.

"Que coisa pra se dizer. Quer que lave a tua boca com sabão?"

"*Mandou?*"

"Isso é segredo profissional, camarada."

O que veio depois eu não lembro muito bem. Só sei que eu levantei da cama, como se estivesse indo no banheiro e tal, e aí tentei socar o sujeito, com toda a força, bem no meio da escova de dentes, pra ela estourar toda a garganta dele. Só que eu errei. Não acertei a cara dele. Só consegui foi meio que pegar o lado da cabeça ou sei lá o quê. Provavelmente doeu um pouquinho, mas não tanto quanto eu queria. Provavelmente ia doer pacas, mas eu bati com a mão direita, e eu não consigo fechar direito essa mão. Por causa daquele machucado que eu te contei.

Enfim, quando eu vi eu já estava na desgraça do chão e ele, sentado no meu peito, com a cara toda vermelha. Quer dizer, ele estava com a droga do *joelho* no meu peito, e ele pesava coisa de uma tonelada. E ainda estava me segurando pelos pulsos, pra eu não poder dar outro soco. Se eu pudesse, tinha matado o sujeito.

"Mas que diabo que te deu?", ele ficava dizendo, com aquela cara idiota ficando cada vez mais vermelha.

"Tire a porcaria desse *joelho* do meu *peito*", eu disse. Eu estava quase urrando. Estava mesmo. "Vai, *sai* de cima de mim, seu asqueroso filho de uma puta."

Só que ele não saía. Ele não largou os meus pulsos e eu fiquei chamando ele de merdinha e tal, por umas dez horas. Eu mal lembro tudo que eu falei pra ele. Disse que ele achava que podia mandar ver com quem quisesse. Disse que ele estava pouco se lixando se uma menina deixava as damas todas na última fileira ou não, e o motivo dele nem ligar era que ele era um desgraçado de um idiota, uma besta. Ele odiava quando você chamava ele de besta. Todo besta odeia quando você chama ele de besta.

"Cale a boca, agora, Holden", ele disse com aquela fuça idiota toda vermelha. "Só cale essa boca, agora."

"Você nem sabe se o nome dela é Jane ou *Jean*, sua besta do cacete!"

"Agora, *cale essa boca*, Holden, puta que pariu — eu estou avi*sando*", ele disse — eu tinha deixado ele putão mesmo. "Se você não calar a boca, eu vou meter a mão na tua cara."

"Tira esse joelho sujo e fedorento do meu peito, sua besta."

"Se eu deixar cê levantar, cê vai fechar esse bico?"

Eu nem respondi.

Ele disse de novo, "Holden. Se eu deixar cê levantar, cê vai fechar esse bico?".

"Vou."

Ele saiu de cima de mim, e eu levantei também. Estava com uma puta dor no peito por causa daquele joelho nojento dele. "Você é um merdinha estúpido, besta e seboso", eu disse pra ele.

Aí que ele ficou louco *de verdade*. Ele sacudiu aquele dedão idiota bem na minha cara. "Holden, eu estou te *avisando* agora, caramba. É a última vez. Se você não fechar essa matraca, eu vou —"

"E por que eu ia fazer uma coisa dessas?", eu disse — eu estava praticamente berrando. "O problema com quem é uma besta é bem esse. Vocês nunca querem discutir nada. É sempre assim que você faz pra encontrar uma besta. É o sujeito que nunca quer discutir nada intelig—"

Aí ele sentou o braço de verdade, e quando eu vi eu estava de novo na desgraça do chão. Não lembro se ele me nocauteou ou não, mas acho que não. É bem difícil nocautear um sujeito, a não ser numa droga de um filme. Mas o meu nariz estava sangrando pra tudo quanto era lado. Quando eu olhei pra cima, o nosso amigo Stradlater estava de pé, praticamente em cima de mim. Estava com a desgraça do kit de banho embaixo do braço. "Por que cê não *cala* esse diabo dessa tua boca quando eu mando?", ele disse. Estava bem nervoso. Provavelmente ele estava com medo de ter fraturado o meu crânio ou sei lá o quê quando eu caí no chão.

Pena que não quebrou. "Droga, você estava pedindo", ele disse. Rapaz, como ele estava preocupado.

Eu nem me dei ao trabalho de levantar. Só fiquei um tempinho ali no chão, e ficava chamando ele de besta e de merdinha. Eu estava tão louco da vida que estava praticamente berrando.

"Escuta. Vai lavar o rosto", o Stradlater disse. "Tá me ouvindo?"

Eu disse pra ele ir lavar aquela cara dele de besta — o que foi uma coisa bem infantil de dizer, mas eu estava louco pra diabo. Disse pra ele parar no caminho do banheiro e mandar ver com a sra. Schmidt. A sra. Schmidt era a mulher do zelador. Ela tinha uns sessenta e cinco anos.

Eu fiquei ali sentado no chão até ouvir o nosso amigo Stradlater fechar a porta e atravessar o corredor até o banheiro. Aí eu levantei. Não consegui achar a desgraça do meu boné de caçador em lugar nenhum. Finalmente achei. Estava embaixo da cama. Coloquei o boné e virei a nossa amiga aba toda pra trás, como eu gostava, e aí fui dar uma olhada na minha cara idiota no espelho. Você nunca viu uma carnificina daquelas. Eu estava com sangue na boca e no queixo e até no pijama e no roupão. Aquilo me deixou meio assustado e meio fascinado. Aquele sangue todo e tal meio que me deixava com cara de durão. Eu só tinha entrado numas duas brigas na minha vida inteira, e perdi *as duas*. Eu não sou muito durão. Eu sou um pacifista, se você quer saber a verdade.

Eu tive um palpite de que o nosso amigo Ackley provavelmente tinha ouvido a baderna toda e estava acordado. Então passei pela cortina do chuveiro pro quarto dele, só pra ver que diabo ele estava fazendo. Eu quase nunca entrava no quarto dele. Tinha sempre um cheiro esquisito lá, porque ele tinha uns hábitos de higiene tão asquerosos.

7

Um tiquinho de luz entrava pela cortina do chuveiro e tal, vindo lá do nosso quarto, e dava pra eu ver ele deitado na cama. Eu sabia mais do que bem que o desgraçado estava acordadíssimo. "Ackley?", eu disse. "Tá acordado?"

"Tô."

Estava bem escuro, eu pisei no sapato de alguém ali no chão e quase que despenco. O Ackley meio que sentou na cama e se apoiou num cotovelo. Ele estava com uma coisarada branca na cara, pras espinhas. Estava meio medonho no escuro. "Mas que diabo que cê tá fazendo aí, afinal?", eu disse.

"Como assim, que diabo que eu tô fazendo? Eu tava tentando *dormir* antes de vocês começarem com esse estardalhaço. Por que diabo vocês tavam brigando mesmo?"

"Cadê o interruptor?" Eu não estava conseguindo achar o interruptor. Estava passando a mão na parede inteira.

"Pra que diabos você quer o interruptor?... Tá bem do lado da tua mão."

Eu finalmente achei e acendi a luz. O nosso amigo Ackley ergueu a mão pra luz não doer nos olhos.

"*Santo* Deus!", ele falou. "Mas que diabo que aconteceu com *você*?" Ele estava falando daquele sangue todo e tal.

"Eu tive um arranca-rabo com o desgraçado do Stradlater", eu disse. Aí sentei no chão. Eles nunca tinham poltrona no quarto deles. Não sei que diabo eles faziam com as poltronas deles. “Escuta”, eu falei, “está a fim de jogar uma canastra?” Ele era doido por canastra.

“Você ainda está san*gran*do, pelamordedeus. Melhor colocar alguma coisa nisso.”

“Vai parar. Escuta. Quer ou não quer jogar uma canastrinha?”

“Ca*nas*tra, pelamordedeus. Você sabe que horas são, por acaso?”

“Não é tarde. São só umas onze, onze e meia.”

“*Só* umas!”, o Ackley disse. “Escuta. Eu tenho que levantar pra ir na *missa* de manhã, pelamordedeus. Vocês dois começam a berrar e brigar no meio da desgraça da — e por que diabo mesmo que era essa briga?”

“É uma história comprida. Não quero te encher o saco, Ackley. Estou pensando no teu bem-estar”, eu disse pra ele. Eu nunca discutia a minha vida pessoal com ele. Pra começo de conversa, ele era ainda mais idiota que o Stradlater. O Stradlater era um puta gênio em comparação com o Ackley. “Olha”, eu disse, “tudo bem se eu dormir na cama do Ely hoje? Ele só volta amanhã de noite, né?” Eu sabia muito bem que era verdade. O merdinha do Ely ia pra casa quase todo fim de semana.

“*Eu* não sei quando que ele volta, diabo”, o Ackley disse.

Rapaz, essa me irritou. “Como é que cê não sabe quando ele volta, diabo? Ele nunca volta antes de domingo de *noite*, né?”

“Não, mas, pelamordedeus, eu não posso simplesmente ir dizendo pra alguém que tudo bem dormir na droga da *cama* dele se quiser.”

Aquilo me matou. Eu estiquei o braço, sentado ali no chão, e dei uns tapinhas naquele ombro idiota dele. “Você é um príncipe, Ackley meu garoto”, eu disse. “Sabia?”

“Não, sério — eu não posso ir simplesmente dizendo pra alguém que tudo bem dormir na —”

"Você é um príncipe de verdade. Você é um cavalheiro e um erudito, garoto", eu disse. E era mesmo. "Você por acaso teria um cigarrinho? — Diga 'não' pra eu cair durinho."

"Não, não tenho mesmo. Escuta, qual que foi o motivo do diabo da briga?"

Eu não respondi. A única coisa que eu fiz foi ir até a janela olhar pra fora. Do nada, me veio uma bruta solidão. Eu quase quis morrer.

"Qual que foi o motivo do diabo da briga, afinal?", o Ackley disse, mais ou menos pela quinquagésima vez. Ele certamente estava enchendo o saco com aquilo.

"Foi você", eu disse.

"*Eu*, pelamordedeus?"

"É. Eu estava defendendo a desgraça da tua honra. O Stradlater disse que você tinha uma personalidade nojenta. Eu tive que fazer ele engolir."

Aquilo deixou ele todo empolgado. "Ele disse? Sério mesmo? Disse?"

Eu disse que só estava brincando, e aí fui lá e deitei na cama do Ely. Rapaz, como eu estava podre. E com uma solidão.

"Esse quarto está fedendo", eu disse. "Dá pra sentir daqui o cheiro das tuas meias. Cê nunca manda pra lavanderia?"

"Se não gostou, você sabe onde pode enfiar", o Ackley disse. Que camaradinha espirituoso. "Que tal apagar a droga da luz?"

Só que eu não apaguei logo de cara. Eu só fiquei ali deitadão na cama do Ely, pensando na Jane e tal. E quando eu pensava nela com o Stradlater naquele carrinho meia boca do Ed Banky, eu ficava só completa e totalmente doido. Toda vez que eu pensava naquilo me dava vontade de pular pela janela. O negócio é que você não conhecia o Stradlater. Eu conhecia. A maioria dos carinhas lá da Pencey só *falava* de ter relação sexual com as meninas o tempo todo — que nem o Ackley, por exemplo —, mas o nosso amigo Stradlater tinha mesmo. Eu conhecia pessoalmente no mínimo duas garotas com quem ele mandou ver. Essa que é a verdade.

"Me conte a história da tua vidinha fascinante, Ackley meu garoto", eu disse.

"Que tal apagar a droga da luz? Eu tenho que levantar pra missa amanhã."

Eu levantei e apaguei, se aquilo deixava ele feliz. Aí deitei de novo na cama do Ely.

"O que é que você vai fazer — dormir na cama do Ely?", o Ackley disse. Ele era o anfitrião perfeito, rapaz.

"Pode ser que sim. Pode ser que não. Não se preocupe."

"Eu não estou preocu*pa*do. Só que eu ia odiar se o Ely me aparecesse do nada e achasse um carinha qualquer —"

"Relaxa. Eu não vou dormir aqui. Eu não ia abusar da droga da tua hospitalidade."

Poucos minutos depois, ele já estava roncando adoidado. Mas eu fui ficando lá deitado no escuro mesmo, tentando não pensar na nossa amiga Jane e no Stradlater na desgraça do carrinho do Ed Banky. Mas era quase impossível. O problema é que eu conhecia a técnica do tal do Stradlater. E isso piorava tudo. Uma vez eu saí com ele, em dois casais, no carro do Ed Banky, e o Stradlater estava no banco de trás, com a menina dele, e eu na frente com a minha. Que técnica o cara tinha. O que ele fazia era que ele começava a passar uma lábia na menina com uma voz bem baixinha, bem *sincera* — como se ele não fosse só um cara bonitão, mas também um sujeito bacana, *sincero*. Eu estava quase vomitando, só de ouvir. A menina dele ficava dizendo, "Não — *por favor*. Por favor, não. *Por favor*". Mas o nosso amigo Stradlater ia passando a lábia nela com aquela voz sincera de

Abraham Lincoln, e finalmente vinha aquele silêncio horroroso do banco de trás. Era constrangedor pacas. Acho que ele não mandou ver ali com aquela menina — mas foi quase. *Muito* quase.

Enquanto eu estava deitado ali tentando não pensar, ouvi o nosso amigo Stradlater voltar do banheiro e entrar no nosso quarto. Dava pra ouvir ele guardar as suas coisinhas asquerosas e tal, e abrir a janela. Ele era louco por ar fresco. Aí, um pouquinho depois, ele apagou a luz. Nem olhou por ali pra ver onde é que eu estava.

Até a rua estava deprimente. Já não dava nem pra ouvir os carros. Eu fui ficando mal com aquela solidão, até me deu vontade de acordar o Ackley.

"Ô Ackley", eu disse, meio que num sussurro, pro Stradlater não me ouvir do outro lado da cortina do chuveiro.

Só que o Ackley não me ouviu.

"Ô Ackley!"

Ele ainda não me ouviu. Ele dormia que nem pedra.

"Ô *Ackley*!"

Essa sim ele ouviu.

"Mas o que é que você tem, diabo?", ele disse. "Pelamordedeus, eu estava dormindo."

"Escuta. Como que faz pra entrar pra um mosteiro?", eu perguntei. Eu estava meio que pensando na possibilidade. "Tem que ser católico e tal?"

"Certa*men*te você tem que ser católico. Seu filho de uma puta, você me acordou só pra fazer uma pergunta patét—"

"Ah, vai dormir. Eu nem vou entrar pra um mosteiro mesmo. Com a sorte que eu tenho, eu provavelmente ia entrar num que só ia ter o tipo errado de monge. Tudo uns filhos da puta de uns idiotas. Ou só filhos da puta."

Quando eu disse isso, o nosso amigo Ackley sentou pra lá de reto na cama. "Escuta aqui", ele disse, "pode dizer o que quiser de *mim* e tal, mas se você for começar a fazer gracinha com a droga da minha reli*gião*, eu juro por Deus que —"

"Relaxa", eu disse. "Ninguém está fazendo gracinha com a droga da tua religião." Levantei da cama do Ely, e fui pra porta. Eu não queria mais ficar naquela atmosfera idiota. Só que eu parei no caminho, peguei a mão do Ackley e dei um belo de um aperto de mão bem fajuto. Ele tirou a mão. "Que ideia é essa?", ele falou.

"Ideia nenhuma. Eu só quero te agradecer, desgraça, por ser tão príncipe assim, só isso", eu disse. Eu disse isso com uma voz toda sincera. "Você é legal pra chuchu, Ackley meu garoto", eu disse. "Você sabia?"

"Espertinho. Um dia alguém vai quebrar a tua —"

Eu nem me dei ao trabalho de ouvir. Fechei a droga da porta e fui pro corredor.

Todo mundo estava dormindo ou passando o fim de semana em casa, e estava tudo muito, mas muito quieto, e deprimente no corredor. Tinha uma caixa vazia de pasta de dentes Kolynos na frente da porta do Leahy e do Hoffman, e enquanto eu ia até a escada, ficava dando uns bicos nela com o chinelo de ovelha que estava usando. O que eu pensei em fazer foi que eu pensei em dar uma descida e ver o que o nosso amigo Mal Brossard estava aprontando. Mas, do nada, eu mudei de opinião. Do nada, decidi que o que eu ia fazer mesmo era desaparecer do inferno da Pencey — bem naquela noite mesmo e tal. Quer dizer, não ia esperar até quarta nem nada. Eu só não queria mais ficar por ali. Aquilo estava me deixando com uma baita tristeza e uma puta solidão. Então o que eu decidi fazer foi que eu decidi pegar um quarto num hotel em Nova York — algum hotelzinho bem barato e tal — e ficar só de papo pro ar até quarta. Aí, na quarta, eu ia pra casa todo descansadinho e me sentindo supimpa. Eu saquei que os meus pais provavelmente só iam receber a carta do nosso amigo Thurmer, dizendo que eu tinha tomado um pé na bunda, lá por terça ou quarta. Eu não queria ir pra casa nem nada antes deles digerirem aquilo direitinho e tal. Não queria estar por perto quando eles *ficassem* sabendo. A minha mãe fica bem histérica. Só que ela nem é das piores depois que digere as coisas direitinho. Além disso, eu meio que estava precisando de umas férias. Estava com os nervos à flor da pele. À flor da pele mesmo.

Enfim, foi isso que eu decidi fazer. Aí voltei pro quarto e acendi a luz, pra começar a fazer a mala e tal. Eu já tinha posto umas coisas na mala. O nosso amigo Stradlater nem acordou. Eu acendi um cigarro e me vesti todo e aí arrumei as duas valises que eu tenho. Levou só uns dois minutos. Eu faço mala bem rápido.

Uma coisa nisso de fazer as malas me deixou meio deprimido. Eu tive que guardar uns patins de gelo novinhos que a minha mãe tinha praticamente acabado de me mandar uns dias antes. Aquilo ali me deprimiu. Dava pra ver a minha mãe entrando na Spaulding e fazendo um milhão de perguntas bem bocós pro vendedor — e olha eu aqui tomando um pé na bunda de novo. Eu fiquei bem triste. Ela me comprou o tipo errado de patins — eu queria de corrida e ela comprou de hóquei —, mas fiquei triste mesmo assim. Quase toda vez que alguém me dá um presente, eu acabo é ficando triste.

Depois que tinha feito as malas, eu meio que contei a minha grana. Não lembro exatamente quanto que eu tinha, mas estava bem forrado. A minha vó tinha acabado de me mandar uma bolada coisa de uma semana antes. Eu tenho uma vó que é bem mão-aberta com a grana dela. Ela não bate bem hoje em dia — está velha pra diabo — e fica me mandando dinheiro de presente de aniversário umas quatro vezes por ano. Enfim, mesmo estando bem forrado, eu saquei que umas pratas a mais sempre vinham a calhar. Nunca se sabe. Então o que eu fiz foi que eu atravessei o saguão e acordei o Frederick Woodruff, o carinha pra quem eu tinha emprestado a minha máquina de escrever. Perguntei quanto ele me dava por ela. Ele era um sujeito bem riquinho. Ele disse que não sabia. Disse que nem fazia grandes questões de comprar. Mas acabou comprando. A máquina custava umas noventa pratas, e ele pagou só vinte. Estava puto porque eu tinha acordado ele.

Quando eu estava prontinho pra zarpar, quando estava com as malas e tal, eu fiquei um tempinho do lado da escada e dei uma última olhada na desgraça do corredor. Eu estava meio que chorando. Não sei por quê. Coloquei o meu boné vermelho e virei a aba pra trás, como eu gostava, e aí gritei a plenos pulmões, "*Durmam bem, suas bestas!*". Aposto que acordei cada filho da puta que estava dormindo naquele andar inteirinho. Aí eu sumi dali. Algum idiota tinha jogado casca de amendoim na escada inteira, e quase que eu quebro a desgraça do meu pescoço.

8

Estava tarde demais pra chamar um táxi e tal, então eu fui a pé até a estação. Não era tão longe, mas estava frio pra diabo, e ficava difícil de andar na neve, e as valises iam me batendo nas pernas que era um inferno. Só que eu meio que estava gostando do ar livre e tal. O único problema era que o frio fazia meu nariz doer, e logo embaixo do lábio superior, onde o nosso amigo Stradlater tinha me sentado a mão. Ele tinha espremido o meu lábio em cima dos dentes, e estava bem dolorido ali. Só que as minhas orelhas estavam bem quentinhas. Aquele boné que eu comprei tinha umas abas de tapar as orelhas, e eu baixei as abas — estava me lixando pra minha aparência. E não tinha ninguém por ali mesmo. Todo mundo estava na cama.

Eu dei uma bela de uma sorte quando cheguei na estação, porque só tive que esperar uns dez minutos pelo trem. Enquanto esperava, eu peguei um pouco de neve com a mão e lavei o rosto. Ainda estava bem ensanguentado.

Normalmente eu gosto de viajar de trem, especialmente de noite, com as luzes acesas e as janelas todas escuras, e um daqueles carinhas andando pelo vagão pra vender café e sanduíche e revista. Eu normalmente compro um sanduíche de presunto e umas quatro revistas. Se estou de noite num trem, eu normalmente consigo até ler um daqueles contos patetas numa revista, sem vomitar. Você sabe. Um daqueles contos com um monte de sujeitos fajutos e queixudos chamados David, e um monte de meninas fajutas chamadas Linda ou Marcia, que ficam acendendo o cachimbo dos Davids. Eu consigo até ler um desses contos bem porcarias num trem de noite, normalmente. Mas daquela vez era diferente. Eu simplesmente não estava a fim. Só meio que fiquei ali sentado sem fazer nada. A única coisa que fiz foi que eu tirei o meu boné de caçador e pus no bolso.

Do nada, uma mulher subiu em Trenton e sentou do meu lado. Praticamente o vagão inteiro vazio, porque era bem tarde e tal, mas ela senta bem do meu lado, em vez de pegar uma cadeira vaga, porque estava com uma bolsona e eu estava sentado no primeiro banco. Ela meteu a bolsa bem no meio do corredor, onde o cobrador, e todo mundo, podia tropeçar. Estava com umas orquídeas na roupa, como se estivesse saindo de alguma festança ou coisa assim. Tinha uns quarenta ou quarenta e cinco, acho eu, mas era bem bonita. Mulher me mata. De verdade. Eu não estou dizendo que eu seja tarado nem nada — tudo bem que eu sou bem sexual. Eu só gosto delas, assim. Elas vivem deixando a droga da bolsa bem no meio do corredor.

Enfim, a gente estava ali sentado e, do nada, ela me disse, "Desculpa, mas esse adesivo aí não é da Pencey Prep?". Ela estava olhando as minhas valises, no compartimento de bagagem.

"É, sim", eu disse. Ela estava certa. Eu tinha mesmo uma desgraça de um adesivo da Pencey numa das minhas valises. Bem cafona, isso eu não vou negar.

"Ah, e você estuda lá na Pencey?", ela disse. Tinha uma voz bonita. Uma bela voz de telefone, especialmente. Ela devia era andar com uma droga de um telefone pra cima e pra baixo.

"Estudo, sim", eu disse.

"Ah, que lindo! Talvez você conheça o meu filho, então, o Ernest Morrow? Ele estuda na Pencey."

“Conheço sim. Ele é da minha turma.”

O filho dela era sem sombra de dúvida o maior filho da puta que já estudou na Pencey, em toda a história daquela escolinha asquerosa. Ele vivia andando pelo corredor, depois de tomar banho, dando chicotada com a nossa amiga toalha molhada na bunda dos outros. Era exatamente esse tipo de sujeito que ele era.

“Ah, que bom!”, a senhora disse. Mas não de um jeito cafona. Ela só era bacana e tal. “Eu preciso contar ao Ernest que nós nos conhecemos”, ela disse. “Posso saber o seu nome, querido?”

“Rudolf Schmidt”, eu disse. Eu não estava a fim de contar a história da minha vida inteira. Rudolf Schmidt era o nome do zelador do nosso dormitório.

“Você gosta da Pencey?”, ela me perguntou.

“Da Pencey? Não é ruim não. Não é assim um pa*raí*so nem nada, mas não é pior que a maioria das escolas. Tem uns professores que são bem zelosos.”

“O Ernest simplesmente adora.”

“Eu sei que ele adora”, eu disse. Aí comecei a mandar uma cascata por um tempo. “Ele se adapta muito bem a tudo. De verdade. O que eu quero dizer é que ele sabe mesmo se adaptar.”

“Você acha?”, ela me perguntou. Parecia interessada pra diabo.

“O Ernest? Claro”, eu disse. Aí fiquei olhando ela tirar as luvas. Rapaz, a mulher estava que era um nojo de tanto anel.

“Eu acabei de quebrar uma unha, saindo do táxi”, ela disse. Ela olhou pra mim e meio que sorriu. Tinha um sorriso simpático demais. Tinha mesmo. A maioria das pessoas mal tem um sorriso, ou tem um sorriso porcaria. “Eu e o pai do Ernest às vezes ficamos preocupados com ele”, ela disse. “Às vezes a gente fica com a impressão de que ele não é dos mais sociáveis.”

"Como assim?"

"Bem. Ele é um garoto muito sensível. Ele nunca foi assim tão sociável com outros meninos. Talvez ele leve as coisas um pouco a sério demais pra idade dele."

Sensível. Aquela ali me matou. O tal do Morrow era sensível que nem assento de privada.

Eu dei uma bela olhada pra ela. Ela não me parecia bocó. Parecia que podia fazer uma bela ideia do tipo de filho da puta que era o filho dela. Mas nem sempre dá pra saber — com a mãe dos outros, assim. Mãe é tudo meio insana. Só que o negócio é que eu gostei da mãe do nosso amigo Morrow. Ela era bacaninha. "A senhora aceita um cigarro?", eu perguntei.

Ela olhou pra todos os lados. "Acho que esse vagão é não fumante, Rudolf", ela disse. Rudolf. Aquela ali me matou.

"Tudo bem. A gente pode fumar até começarem a gritar com a gente", eu disse. Ela pegou um dos meus cigarros, e eu dei o fogo.

Ela ficava bonita, fumando. Tragava e tal, mas não *engolia* a fumaça toda, que nem a maioria das mulheres da idade dela. Tinha charme pacas. E tinha bastante sex appeal também, se você quer saber mesmo.

Ela estava me olhando de um jeito meio engraçado. "Eu posso estar errada, mas creio que o seu nariz está sangrando, querido", ela disse, do nada.

Eu fiz que sim com a cabeça e puxei o lenço. "Me acertaram com uma bola de neve", eu disse. "Daquelas bem congeladas." Eu provavelmente teria contado pra ela o que tinha acontecido de verdade, mas ia demorar demais. Só que eu gostei dela. Estava começando a me arrepender de ter dito que o meu nome era Rudolf Schmidt. "O nosso amigo Ernie", eu disse. "Ele é um dos garotos mais populares lá da Pencey. A senhora sabia disso?"

"Não, não sabia."

Eu fiz que sim com a cabeça. "Todo mundo levou um tempão pra conhecer ele direito. Ele é um sujeito engraçado. Um sujeito *estranho*, de tudo quanto é jeito — sabe como? Por exemplo, quando eu conheci o Ernie. Quando a gente se conheceu, eu achei que ele era um cara meio esnobe. Foi isso que eu pensei. Mas não é. Ele só tem aquela personalidade pra lá de original, que faz você levar um certo tempo pra conhecer ele direito."

A nossa amiga sra. Morrow não abriu a boca, mas, rapaz, você tinha que ter visto a cara dela. Eu tinha grudado ela ali naquele banco. Você veja lá a mãe de alguém, elas só querem é ouvir falar de como o filho delas é figurão.

Aí eu comecei *mes*mo a pesar a mão na cascata. "Ele não contou da eleição pra senhora?", eu perguntei. "A eleição da turma?"

Ela sacudiu a cabeça. Eu tinha meio que hipnotizado ela. Tinha mesmo.

"Bom, um pessoalzinho ali queria que o Ernie fosse o representante da turma. Quer dizer, ele foi a escolha unânime. Quer dizer, ele era o único garoto que dava conta daquilo, de verdade", eu disse — rapaz, como eu estava pesando a mão. "Mas um outro garoto — o Harry Fencer — acabou sendo eleito. E o *motivo* dele ter sido eleito, o motivo simples e óbvio, foi que o Ernie não quis deixar a gente indicar o nome dele. Porque ele é tímido e modesto pra dedéu. Ele recu*sou*... Rapaz, ele é tímido *demais*. A senhora devia fazer ele tentar superar essa timidez." Eu olhei pra ela. "Ele não contou isso pra senhora?"

"Não, não contou."

Eu fiz que sim com a cabeça. "É o Ernie. Ele não ia contar mesmo. É o único defeito dele — ele é tímido e modesto demais. A senhora devia mesmo fazer ele tentar dar uma relaxada de vez em quando."

Naquele exato minuto o cobrador passou pra ver o bilhete da nossa amiga sra. Morrow, o que me deu uma oportunidade de parar de mandar cascata. Mas que bom que eu consegui mandar por um tempo. Você veja lá um carinha que nem o Morrow, que vive chicoteando a bunda dos outros com a toalha — tentando de verdade *machucar* alguém com aquilo —, ele não fica sendo verme só quando é garoto. Fica verme a vida inteira. Mas aposto que, depois daquela cascata toda, a sra. Morrow agora vai ficar pensando que ele é um camaradinha tímido e modesto que não deixou a gente indicar o nome dele pra representante. Ela bem que pode. Não dá pra saber. Mãe é tudo meio burrinha nessas coisas.

"A senhora aceitaria um coquetel?", eu perguntei. Eu estava me sentindo no clima de beber um. "Nós podemos ir até o vagão-bar. Tudo bem?"

"Meu querido, você pode pedir bebidas?", ela me perguntou. Mas não de um jeito metido. Ela era charmosa demais pra ser metida e tal.

"Bom, não, não exatamente, mas via de regra eu consigo pedir por causa da minha altura", eu disse. "E eu tenho um monte de cabelo grisalho." Eu virei de lado e mostrei o meu cabelo grisalho pra ela. Ela ficou fascinadíssima. "Anda, vem, por que não?", eu disse. Eu ia ter adorado ir com ela.

"Acho de verdade que é melhor eu não ir. Mas muito obrigada, querido", ela disse. "Enfim, o vagão-bar quase certamente está fechado mesmo. Já é bem tarde, sabe." Ela estava certa. Eu tinha esquecido que horas eram.

Aí ela olhou pra mim e perguntou o que eu estava com medo que ela fosse perguntar. "O Ernest escreveu pra dizer que chegava em casa na quarta, que as férias de Natal começavam na *quarta*-feira", ela disse. "Espero que você não tenha sido chamado de volta mais cedo por conta de alguma doença na família." Ela parecia preocupada de verdade com aquilo. Não estava só sendo enxerida, dava pra você ver.

"Não, todo mundo em casa está bem", eu disse. "Sou eu. Eu tenho que fazer uma operação."

"Ah! Eu sinto *muitíssimo*", ela disse. E sentia mesmo. Eu me arrependi na mesma hora de ter dito aquilo, mas era tarde demais.

"Não é muito sério. Eu tenho um tumorzinho minúsculo no cérebro."

"Ah, *não*!" Ela pôs a mão na frente da boca e coisa e tal.

"Ah, eu vou ficar bem e tal! É quase grudado do lado de fora. E é bem minúsculo. Eles conseguem tirar em coisa de dois minutos."

Aí eu comecei a ler a tabela dos horários dos trens que estava no meu bolso. Só pra parar de mentir. Depois que eu começo, eu consigo ficar horas mentindo se estiver a fim. Sem brincadeira. *Horas*.

A gente não conversou muito depois disso. Ela começou a ler uma *Vogue* que tinha trazido, e eu passei um tempo olhando pela janela. Ela desceu em Newark. E me desejou boa sorte com a operação e tal. Ficava me chamando de Rudolf. Aí me convidou pra ir visitar o Ernie no verão, em Gloucester, no Massachusetts. Disse que a casa deles era bem de frente pro mar, e que eles tinham quadra de tênis e tal, mas eu só agradeci e disse que ia pra América do Sul com a minha vó. E essa foi ardida, porque a minha vó quase nunca nem sai de *casa*, a não ser de vez em quando pra ir numa desgraça de uma matinê ou sei lá o quê. Mas eu não ia visitar aquele merdinha do Morrow nem que me pagassem, nem que eu estivesse desesperado.

9

A primeira coisa que eu fiz quando desembarquei na Penn Station foi que eu entrei numa cabine telefônica. Estava a fim de dar uma ligada pra alguém. Deixei as malas bem na frente da cabine pra poder ficar de olho, mas assim que entrei eu não consegui mais pensar em alguém pra ligar. O meu irmão D.B. estava em Hollywood. A minha irmã caçula, a Phoebe, vai pra cama lá pelas nove — então pra *ela* não dava pra ligar. Ela não ia se incomodar de ser acordada por mim, mas o problema era que não ia ser ela que ia atender o telefone. Os meus pais é que iam atender. Então gorou. Aí eu pensei em dar uma ligada pra mãe da Jane Gallagher, e descobrir quando começavam as férias da Jane, mas eu não estava a fim. Sem contar que estava bem tarde pra ficar ligando. Aí pensei em telefonar pra uma menina com quem eu dava umas voltas com certa frequência, a Sally Hayes, porque eu sabia que as férias de Natal dela já tinham começado — ela me escreveu uma carta comprida e fajutona, me convidando pra ir ajudar a podar o pinheirinho e tal —, mas eu estava com medo que a mãe dela atendesse. A mãe dela conhecia a minha, e dava até pra ver a desgramada quebrando uma perna pra chegar correndo no telefone e dizer pra minha mãe que eu estava em Nova York. Sem contar que eu não morria de vontade de conversar com a nossa amiga sra. Hayes no telefone. Uma vez ela disse pra Sally que eu era doido. Disse que eu era doido e que não tinha rumo na vida.

Aí eu pensei em ligar pra um cara que estudava na Whooton School quando eu estava lá, o Carl Luce, mas eu não gostava muito dele. Então acabei não ligando pra ninguém. Eu saí da cabine, depois de uns vinte minutos, mais ou menos, e peguei as minhas malas e fui até aquele túnel onde ficam os táxis e peguei um táxi.

Eu sou distraído pra cacete. Tanto que eu dei o meu endereço normal pro chofer, só por causa do hábito e tal — quer dizer, eu esqueci completamente que ia me hospedar num hotel por uns dias e ir pra casa só quando as férias começassem. Só fui me dar conta quando a gente estava na metade do parque. Aí eu disse, "Opa, o senhor se incomoda de dar a volta quando for possível? Eu dei o endereço errado. Eu quero voltar pro centro".

O chofer era meio do tipo espertinho. "Eu não posso dar a volta aqui, jovem. Essa rua é mão única. Agora eu vou precisar ir até a rua 90."

Eu não queria discutir com ele. "Está certo", eu falei. Aí pensei num negócio, do nada. "Olha, escuta só", eu disse. "Sabe aqueles patos daquele lago perto da Central Park South? Aquele laguinho? Será que por acaso o senhor não sabe pra onde eles vão, os patos, quando congela tudo ali? Será que por acaso o senhor não sabe?" Eu vi que era só uma chance em um milhão.

Ele virou pra trás e olhou pra mim como se eu fosse demente. "Que que cê tá tentando fazer, jovem?", ele disse. "Rir da minha cara?"

"*Não* — eu só estava interessado, só isso."

Ele não disse mais nada, então eu também não disse. Até a gente sair do parque na rua 90. Aí ele disse, "Muito bem, jovem. Pra onde?".

"Bom, o negócio é que eu não quero ficar em nenhum hotel do East Side onde eu posso topar com uns conhecidos meus. Eu estou viajando incógnito", eu disse. Odeio dizer essas coisas cafonas à la "viajando incógnito". Mas quando estou com alguém cafona, eu sempre fico cafona também. "Você sabe qual banda que está tocando no Taft ou no New Yorker, por acaso?"

"Menor ideia, meu chapa."

"Bom — vamos pro Edmont então", eu disse. "Quer dar uma parada no caminho e tomar um coquetel comigo? Estou pagando. Eu estou forrado."

"Não posso, jovem. Desculpa." Aquilo certamente era uma boa companhia. Uma personalidade sensacional.

A gente chegou no Edmont Hotel, e eu me registrei. Eu tinha colocado o meu boné vermelho de caçador quando estava no táxi, só de farra, mas tirei antes de me registrar. Não queria parecer pirado nem nada. O que é bem irônico. Naquela hora eu não *sabia* que a droga daquele hotel estava cheio de pervertidos e de bestas. Gente pirada pra tudo quanto era lado.

Eles me deram um quartinho pra lá de asqueroso, sem vista nenhuma da janela, a não ser pro outro lado do hotel. Eu não liguei muito. Estava deprimido demais pra ligar se tinha ou não tinha vista. O camareiro que me levou até o quarto era um fulano velho pacas, de uns sessenta e cinco anos. Ele conseguia ser mais deprimente que o meu quarto. Era um daqueles carecas que penteiam o cabelo da lateral pra cobrir a calota. Eu ia preferir ser careca de uma vez. Enfim, que trabalhinho maravilha pra um sujeito dos seus sessenta e cinco anos. Carregar mala dos outros e ficar esperando gorjeta. Eu até imaginava que ele nem fosse dos mais inteligentes nem nada, mas mesmo assim era um horror.

Depois que ele saiu, eu fiquei um tempo olhando pela janela, de casaco e tudo. Eu não tinha mais o que fazer. Você ia tomar um susto se soubesse o que estava acontecendo lá do outro lado do hotel. Eles nem se davam ao trabalho de fechar a cortina. Eu vi um cara, sujeito grisalho e bem elegantão, só de cueca, fazendo um negócio que você não ia acreditar se eu contasse. Primeiro ele pôs a mala na cama. Aí tirou um monte de roupa de mulher, e vestiu. Roupa de mulher mesmo — meia de seda, sapato de salto, sutiã, e um daqueles corpetes com as tiras balançando e tal. Aí ele botou um vestido preto de noite, bem justinho. Juro por Deus. Aí começou a andar pra cima e pra baixo pelo quarto, dando uns passinhos miúdos, que nem mulher faz, e fumando um cigarro e se olhando no espelho. E ele estava sozinho. A não ser que tivesse alguém no banheiro — isso eu não conseguia ver. Aí, na janela quase direto em cima dele, eu vi um homem e uma mulher cuspindo água um no outro. Provavelmente era uma bebida, e não água, mas não dava pra enxergar o que tinha no copo deles. Enfim, primeiro ele dava um gole e cuspia em cima *dela*, aí ela fazia com *ele* — eles se *revezavam*, meu Deus do céu. Você tinha que ter visto aqueles dois. Eles ficavam rolando de rir o tempo todo, como se fosse a coisa mais engraçada do mundo. Sem brincadeira, o hotel estava fervilhando de pervertidos. Eu era provavelmente o único filho da puta mais normalzinho ali dentro — e olha lá. Eu quase mandei uma merda de um telegrama pro nosso amigo Stradlater dizendo pra ele pegar o primeiro trem pra Nova York. Ele ia ter sido o rei do hotel.

O problema é que esse tipo de bobagem é meio fascinante de ficar olhando, mesmo que você não queira que seja. Por exemplo, aquela menina que estava tomando cusparada no rosto todo, ela era bem bonitinha. Quer dizer, esse que é o meu maior problema. Na minha *cabeça*, eu sou provavelmente o maior maníaco sexual que você já viu. Às vezes eu até consigo pensar umas coisas *bem* asquerosas que eu não ia me incomodar de fazer se aparecesse uma oportunidade.

Eu até consigo ver como podia ser divertido, de um jeito asqueroso, e se os dois estivessem meio bêbados e tal, pegar uma menina e ficar cuspindo água ou sei lá o quê um na cara do outro. Só que o negócio é que eu não acho *legal*. É uma merda, se você parar pra pensar. Acho que se você não gosta de verdade da menina, você não devia ficar fazendo bobeira com ela, e se você *gosta* dela, aí em teoria você gosta da cara dela, e se gosta da cara dela, você devia cuidar pra não fazer nada asqueroso com a cara dela, que nem ficar cuspindo água pela cara dela inteira. É pena mesmo que tanta coisa asquerosa às vezes seja tão divertida. As meninas também não ajudam muito, quando você começa a tentar não ser asqueroso *demais*, quando começa a tentar não estragar alguma coisa boa de verdade. Uma vez eu conheci uma menina, uns anos atrás, que era pior que eu, até. Rapaz, como ela era asquerosa! Só que a gente se divertiu pacas, por um tempo, de um jeito asqueroso. Sexo é um negócio que, de verdade, eu não entendo muito bem. Você *perde* o pé, diabo. Eu fico inventando umas regras sexuais pra mim mesmo, e aí já de cara não consigo cumprir. No ano passado eu inventei uma regra de que eu ia parar de fazer bobeira com as meninas que, bem no fundo, me enchiam o saco. Só que eu não cumpri, já na semana que eu inventei — na mesma *noite*, a bem da verdade. Passei a noite toda dando uns malhos com uma fajutíssima chamada Anne Louise Sherman. Sexo é um negócio que eu simplesmente não entendo. Juro por Deus que não entendo.

Comecei a ficar pensando, enquanto estava ali parado, em dar uma ligadinha pra nossa amiga Jane — quer dizer, ligar interurbano pra ela lá na B.M., onde ela estudava, em vez de ligar pra mãe dela pra saber quando ela ia chegar em casa. Em teoria você não podia ligar pros alunos tarde da noite, mas eu tinha pensado em tudo. Ia dizer pra pessoa que atendesse o telefone que eu era tio dela. Ia dizer que a tia dela tinha acabado de morrer num acidente de carro e que eu precisava falar com ela imediatamente. E ia ter dado certo. O único motivo de eu não ter feito isso foi que eu não estava no clima. Se você não está no clima, não dá pra fazer essas coisas direito.

Depois de um tempo eu sentei numa cadeira e fumei uns cigarros. Eu estava meio taradão. Isso eu não posso negar. Aí, do nada, eu tive uma ideia. Puxei a carteira e comecei a procurar o endereço que um cara que eu conheci numa festa no verão, um sujeito que estudava em Princeton, me deu. Finalmente encontrei. Estava tudo de uma cor esquisita por causa da carteira, mas ainda dava pra você ler. Era o endereço de uma menina que não era exatamente puta nem nada, mas que não se incomodava de fazer de vez em quando, me disse o carinha de Princeton. Ele uma vez levou ela junto num baile da universidade, e quase foi expulso por isso. Ela era stripper de teatro de revista antes, ou sei lá o quê. Enfim, eu fui até o telefone e dei uma ligada pra ela. O nome dela era Faith Cavendish, e ela morava no Stanford Arms Hotel, esquina da 65 com a Broadway. Cortiço, certamente.

Por um tempo eu achei que ela nem estava em casa ou sei lá o quê. Ninguém estava atendendo. Aí, finalmente alguém pegou o telefone.

"Alô?", eu disse. Fiz uma voz bem grave pra ela não suspeitar da minha idade nem nada. A minha voz já é bem grave mesmo.

"Alô", a voz da tal mulher disse. E não exatamente simpática.

"Estou falando com a srta. Faith Cavendish?"

"*Quem* é?", ela disse. "Quem é que está me ligando nessa desgraça dessa hora maluca?"

Aquilo meio que me deixou com medo. "Bem, eu sei que está bem tarde", eu disse, com uma voz bem madura e tal.

"Espero que a senhorita me perdoe, mas eu estava muito ansioso para entrar em contato." Eu disse isso sedutor que só. Disse mesmo.

"Quem *é*?", ela disse.

"Bem, a senhorita não me conhece, mas eu sou amigo de Eddie Birdsell. Ele sugeriu que se um dia eu estivesse na cidade, nós dois podíamos tomar um coquetel ou dois."

"*Quem?* Amigo de *quem*?" Rapaz, ela era uma completa tigresa no telefone. Estava quase gritando comigo.

"Edmund Birdsell. Eddie Birdsell", eu disse. Eu não conseguia lembrar se o nome dele era Edmund ou Edward. Eu só vi o sujeito uma vez, numa droga de uma festa idiota.

"Eu não conheço ninguém com esse nome, amigo. E se você acha que eu *gos*to de ser acordada no meio da —"

"Eddie *Bird*sell? De Princeton?", eu disse.

Dava pra você ver que ela estava conferindo o nome assim de cabeça e tal.

"Birdsell, Birdsell... de Princeton... a universidade?"

"Isso mesmo", eu disse.

"Você é lá da universidade?"

"Bem, aproximadamente."

"Ah... e como é que *vai* o Eddie?", ela disse. "Mas certamente é uma horinha esquisita pra telefonar pra alguém. Jesus amado."

"Ele está bem. Ele pediu que eu mandasse um abraço."

"Bem, obrigada. Mande outro pra *ele*", ela disse. "Ele é um sujeito distinto. O que ele anda fazendo agora?" Ela foi ficando pra lá de simpática, do nada.

"Ah, você sabe como é. O de sempre", eu disse. Como é que *eu* ia saber que diabo ele estava fazendo? Eu mal conhecia o tipinho. Nem sabia se ele ainda estava em Princeton. "Olha", eu disse. "Você estaria interessada em me encontrar pra tomar um coquetel em algum lugar?"

“Por acaso você sabe que *horas* são?”, ela disse. “Qual é o seu nome mesmo, se é que eu posso saber?” Ela estava ficando com um sotaque britânico, do nada. “Você está me parecendo meio jovem.”

Eu ri. “Obrigado pelo elogio”, eu disse — sedutor pra diabo. “Meu nome é Holden Caulfield.” Devia ter dado um nome fajuto, mas não pensei nisso.

“Bom, veja, sr. Cawffle. Eu não costumo aceitar compromisso no meio da noite. Eu sou uma moça trabalhadeira.”

“Amanhã é domingo”, eu disse.

“Bom, en*fim*. Eu preciso do meu sono de beleza. O senhor sabe como é.”

“Eu pensei que nós podíamos beber só um coquetel juntos. Não é tão tarde assim.”

“Bom. O senhor é muito delicado”, ela disse. “De onde está ligando? Cê tá onde, mesmo?”

“Eu? Eu estou numa cabine telefônica.”

“Ah”, ela disse. Aí veio uma pausa bem comprida. “Bom, eu ia gostar demais de conversar com o senhor uma hora dessas, sr. Cawffle. O senhor parece muito atraente. O senhor parece uma pessoa muito atraente. Mas *está* tarde.”

“Eu podia ir até a sua casa.”

“Bom, assim normal, eu diria maravilha. Quer dizer, eu ia adorar receber o senhor pra um coquetel, mas acontece que a minha colega de quarto está doente. Ela passou a noite toda deitada sem pregar o olho. Agorinha mesmo é que ela apagou um pouco. Quer dizer.”

“Ah. Que pena.”

“Cê tá hospedado onde? Quem sabe a gente podia tomar um coquetel amanhã.”

“Amanhã eu não posso”, eu disse. “Eu só posso hoje à noite.” Mas que bocó que eu fui. Não devia ter dito aquilo.

“Ah. Bom, sinto muitíssimo.”

"Eu mando um oi pro Eddie, por você."

"Verdade mesmo? Tomara que o senhor goste da estada em Nova York. É uma cidade muito distinta."

"Eu sei que é. Obrigado. Boa noite", eu disse. Aí eu desliguei.

Rapaz, eu ferrei le*gal* daquela vez. Devia pelo menos ter conseguido ir tomar um coquetel ou sei lá o quê.

10

Ainda estava bem cedo. Não sei direito que horas eram, mas não estava tão tarde. Se tem uma coisa que eu odeio é ir pra cama quando não estou nem cansado. Então eu abri as malas e peguei uma camisa limpa, e aí fui até o banheiro, me lavei e troquei de camisa. O que eu pensei em fazer foi que eu ia descer e ver o que diabo estava acontecendo no Lavender Room. Eles tinham uma boate, o Lavender Room, naquele hotel.

Só que enquanto trocava de camisa, eu quase que dei uma ligadinha pra minha irmã Phoebe. Eu certamente estava a fim de falar com ela no telefone. Alguém com juízo e tal. Mas não podia me arriscar a dar uma ligada pra ela, porque ela era só uma criancinha e não ia estar acordada, muito menos perto do telefone. Pensei talvez em desligar se os meus pais atendessem, mas isso também não ia funcionar. Eles iam saber que era eu. A minha mãe sempre sabe que sou eu. Ela é médium. Mas eu certamente não ia me incomodar de trocar uma ideia com a nossa amiga Phoebe.

Você tinha que ver aquela menina. Você nunca viu uma criancinha tão lindinha e tão inteligente na tua vida. Ela é esperta pra dedéu. Quer dizer, ela só tira *A* desde que começou na escola. A bem da verdade, eu sou a única toupeira da família. O meu irmão D.B. é escritor e tal, e o meu irmão Allie, o que morreu, que eu te falei, era um monstro. Eu sou o único toupeirão de verdade. Mas você tinha que ver a nossa amiga Phoebe. Ela tem um cabelo meio ruivo, um pouco igual o do Allie, que fica bem curtinho no verão. No verão, ela prende atrás da orelha. Ela tem umas orelhinhas bonitas. Só que no inverno fica compridão. Às vezes a minha mãe faz trança, e às vezes não. Mas é bem bacana. Ela tem só dez aninhos. É bem magrela, que nem eu, mas de um jeito bacana. Magrela que nem patinadora. Uma vez eu fiquei olhando da janela enquanto ela atravessava a Quinta Avenida pra ir até o parque, e é bem isso que ela é, magrela que nem patinadora. Você ia gostar dela. Quer dizer, se você fala alguma coisa pra nossa amiga Phoebe, ela sabe exatamente de que diabo você está falando. Quer dizer, dá até pra você levar ela junto onde você quiser. Se você levar a Phoebe pra um filme porcaria, por exemplo, ela sabe que é um filme porcaria. Se você levar a Phoebe pra um filme bem bacana, ela sabe que é um filme bem bacana. O D.B. e eu levamos a Phoebe pra ver um filme francês, *A mulher do padeiro*, com o Raimu. Aquilo matou ela. Só que o favorito dela é *Os 39 degraus*, com o Robert Donat. Ela sabe a desgraça do filme inteirinho de cor, porque eu fui com ela umas dez vezes. Quando o nosso amigo Donat chega lá na fazenda do escocês, por exemplo, quando está fugindo da polícia e tal, a Phoebe diz bem alto no cinema — bem quando o escocês do filme fala —, "Você come arenque?". Ela sabe as falas todinhas de cor. E quando o professor lá do filme, que na verdade é espião alemão, ergue o mindinho que não tem um pedaço da ponta, pra mostrar pro Robert Donat, a nossa amiga Phoebe chega na frente — ela mostra o mindinho *dela* pra mim no escuro, bem na minha cara. Ela é bacana. Você ia gostar dela. O único problema é que às vezes ela é carinhosa demais. Ela é muito emotiva, pra uma criança. Muito mesmo. Outra coisa que ela faz é que ela vive escrevendo livros. Só que ela nunca termina. Todos eles são sobre uma garotinha chamada Hazel Weatherfield — só que a nossa amiga Phoebe escreve “Hazle”. A nossa amiga Hazle Weatherfield é uma detetive. Em teoria ela é órfã, mas o pai dela vive aparecendo. O velho dela é sempre um “cavalheiro alto e atraente de cerca de vinte anos de idade”. Essa me mata. A nossa amiga Phoebe. Juro por Deus que você ia gostar dela. Ela era esperta mesmo quando era bem pequenininha. Quando ela era bem pequenininha, eu e o Allie, a gente levava ela pro parque, especialmente aos domingos. O Allie tinha um barquinho que ele gostava de usar aos domingos, e a gente levava a nossa amiga Phoebe junto. Ela usava umas luvinhas brancas e andava no meio de nós dois, que nem uma dama e tal. E quando o Allie e eu, a gente estava no meio de alguma conversa sobre as coisas por aí e tal, a nossa amiga Phoebe ficava escutando. Às vezes você esquecia que ela estava por ali, porque ela era tão pequenininha, mas *ela* te lembrava. Ela ficava te interrompendo o tempo todo. Dava um empurrão em mim ou no Allie e tudo e dizia, “*Quem?* Quem foi que falou isso? O Bobby ou a mulher?”. E a gente dizia pra ela quem falou, e ela dizia, “Ah”, e continuava ali escutando e coisa e tal. Aquele dia ela matou o Allie também. Quer dizer, ele gostava dela também. Ela está com dez anos agora, e não é mais tão pequena, mas ainda mata todo mundo — todo mundo que tem juízo, enfim.

Enfim, ela era alguém que você sempre queria ouvir no telefone. Mas eu tinha medo demais dos meus pais atenderem, e aí descobrirem que eu estava em Nova York e tinha sido expulso da Pencey e tal. Então só terminei de vestir a camisa. Aí fiquei prontinho e desci de elevador pro saguão pra ver o que tinha de bom.

Fora uns sujeitos com cara de cafetão, e umas loirinhas com jeito de puta, o saguão até que estava vazio. Mas dava pra ouvir a banda tocando no Lavender Room, então eu fui pra lá. Não estava tão cheio, mas mesmo assim eles me deram uma mesinha porcaria — bem lá no fundão. Eu devia ter sacudido uma doleta no nariz do maître. Em Nova York, rapaz, o dinheiro manda mesmo — sem brincadeira.

Era uma bandinha infecta. Buddy Singer. Muitos metais, mas não de um jeito bom — de um jeito cafona. Fora que tinha pouca gente da minha idade por ali. A bem da verdade, ninguém era da minha idade. Era quase todo mundo velho, uns sujeitos com cara de exibidos, cada um com sua menina. A não ser na mesa bem do lado da minha. Na mesa bem do lado da minha estavam umas três moças dos seus trinta e tantos anos. Todas as três eram bem feiosas, e elas todas tinham aquele tipo de chapéu que você ficava sabendo que elas não moravam de verdade em Nova York, mas uma delas, a loira, não era tão ruim assim. Até que era bonitinha, a loira, e eu comecei a dar umas sacadas nela, de leve, mas bem aí o garçom veio tirar o meu pedido. Eu pedi um scotch com soda, e disse pra ele não misturar — eu falei rápido pra diabo, porque se você se enrola eles acham que você tem menos de vinte e um e não te vendem bebida alcoólica. Só que com aquele ali eu me encrenquei. "Perdão, senhor", ele disse, "mas o senhor teria alguma comprovação de sua idade? Sua carteira de habilitação, talvez?"

Eu dei uma olhada geladíssima pra ele, como se ele tivesse me ofendido pra diabo, e perguntei, "E eu tenho cara de menor de vinte e um?".

"Lamento, senhor, mas nós temos nossos —"

"Ok, ok", eu disse. Pensei, que se lixe. "Traz uma Coca." Ele fez que ia embora, mas eu chamei de volta. "Será que não dava pra meter um dedinho de rum ou alguma outra coisa assim?", eu perguntei. Perguntei bem-educadinho e tudo. "Eu não posso ficar *sóbrio* de doer num lugar cafona que nem esse. Será que não dava pra meter um dedinho de rum ou alguma outra coisa assim?"

"Lamento muito, senhor...", ele disse, e cascou fora. Só que eu nem guardei rancor. Eles perdem o emprego se são pegos vendendo pra um menor. Eu sou uma desgraça de um menor.

Comecei a dar uma sacada de novo nas três feiticeiras da mesa ao lado. Ou seja, na loira. As outras duas eram estritamente espeto. Só que eu não fiz nada grosseiro. Só mandei nas três um olhar bem sofisticado e tal. Mas o que elas fizeram, as três, quando eu olhei, foi que elas começaram a rir que nem umas tapadas. Elas provavelmente acharam que eu era novo demais pra ficar dando em cima de alguém. Aquilo me deixou putíssimo — parece até que eu queria *casar* com elas ou sei lá o quê. Devia ter dado um gelo, depois que elas fizeram aquilo, mas o problema é que eu estava com uma vontade danada de dançar. Eu gosto bastante de dançar, às vezes, e aquela ali era uma dessas vezes. Então, do nada, eu meio que me inclinei pra elas e disse, "Será que uma das moças gostaria de dançar?". Não perguntei de um jeito grosseiro nem nada. Bem sedutor, na verdade. Mas, caramba, elas acharam que *aquilo* também era hilário. Começaram a rir mais ainda. Sem brincadeira, eram três das mais tapadas. "Ah, vai", eu disse. "Eu danço com uma de cada vez. Tudo bem? Que tal? Vamos!" Eu estava mesmo a fim de dançar.

Finalmente a loira levantou pra dançar comigo, porque dava pra você ver que eu estava era falando com *ela*, e a gente foi até a pista de dança. Os outros dois canhões quase tiveram um ataque quando a gente foi. Eu certamente ia precisar estar numa seca desgraçada pra me meter com aquelas ali.

Mas valeu a pena. A loira dançava que era uma beleza. Era uma das melhores dançarinas com quem eu dancei na vida. Sem brincadeira, tem umas meninas dessas bem idiotas que conseguem te derrubar na pista de dança. Você veja lá uma menina bem espertinha, ou ela fica tentando conduzir *você* pela pista, ou é uma dançarina tão porcaria que o melhor que você faz é ficar na mesa e só se embebedar com ela.

"Você dança de verdade", eu disse pra loira. "Você devia ser profissional. Sério. Uma vez eu dancei com uma profissional, e você é duas vezes melhor que ela. Já ouviu falar de Marco e Miranda?"

"O quê?", ela disse. Ela não estava nem me ouvindo. Estava olhando pra tudo quanto era lado.

"Eu perguntei se você já ouviu falar de Marco e Miranda."

"Sei lá. Não. Sei lá."

"Bom, eles são dançarinos, ela é dançarina. Só que ela nem é tão legal. Ela faz tudo que *é* pra fazer, mas mesmo assim não é tão boa. Sabe quando que uma menina é uma dançarina sensacional de verdade?"

"Como é que é?", ela disse. Ela não estava me ouvindo, mesmo. A cabeça dela estava longe dali.

"Eu perguntei se você sabe quando que uma menina é uma dançarina sensacional de verdade."

"Ãh-rãh."

"Bom — aqui onde a minha mão está nas tuas costas. Se eu achar que não tem nada pra baixo da minha mão — nem cadeiras, nem pernas, nem pés, nem coisa ne*nhu*ma —, aí é que a menina é uma dançarina sensacional de verdade."

Só que ela não estava ouvindo. Então por um tempo eu dei uma ignorada nela. A gente só dançou. Jesus, como dançava aquela bocó. Buddy Singer e a sua bandinha nojenta estavam tocando "Just One of Those Things", que nem *eles* davam jeito de estragar completamente. É uma música joia. Eu não tentei nada mais complicado enquanto a gente dançava — odeio aqueles sujeitos que fazem um monte de coisa complicada e exibida na pista de dança —, mas eu estava fazendo ela se mexer bastante, e ela me acompanhou. O engraçado é que eu achei que ela estava gostando também, até que, do nada, ela veio com esse comentário bem pateta. "Eu e as minhas amigas, a gente viu o Peter Lorre ontem de noite", ela disse. "O ator de cinema. Em pessoa. Ele estava comprando jornal. Ele é *bonitinho*."

"Você é sortuda", eu disse pra ela. "Você é sortuda pacas. Sabia?" Ela era totalmente tapada. Mas que dançarina. Eu mal consegui me segurar pra não tascar meio que um beijo bem no topo daquela cabecinha bocó — sabe —, bem na risca do cabelo e tal. Ela ficou puta quando eu acabei dando o beijo.

"Ei! Que ideia é essa?"

"Nada. Ideia nenhuma. Você dança mesmo", eu disse. "Eu tenho uma irmã caçula que só está na droga da quarta série. Você é quase tão boa quanto ela, e ela dança melhor que qualquer um, vivo ou morto."

"Olha esse jeito de falar, por favor."

Mas que dama, rapaz. Uma *rainha*, pelamordedeus.

"Vocês são de onde?", eu perguntei.

Só que ela não me respondeu. Estava ocupada procurando o nosso amigo Peter Lorre, eu acho.

"Vocês são de onde?", eu perguntei de novo.

"O quê?", ela disse.

"Vocês são de onde? Não precisa responder se não quiser. Não vá se cansar."

"Seattle, Washington", ela disse. Estava me fazendo um grande favor ao me dizer.

"Você é muito boa de papo", eu disse. "Sabia?"

"O quê?"

Eu larguei mão. Era demais pra cabecinha dela mesmo. "Topa um swing, se eles tocarem uma mais rápida? Não aquele swing cafona, nada de ficar pulando nem nada — só tranquilinho. Todo mundo vai sentar quando eles tocarem uma rápida, fora os velhos e os gordos, e a gente vai ficar com bastante espaço. Legal?"

"Pra mim é irrelevante", ela disse. "Mas ô — que idade você tem afinal?"

Aquilo me irritou, por alguma razão. "Ah, Jesus. Não estrague tudo", eu disse. "Eu tenho doze anos, pelamordedeus. Eu sou grandinho pra minha idade."

"*Escuta*. Eu te disse já. Eu não gosto de gente que fala desse jeito", ela disse. "Se você vai falar desse jeito, eu posso ir sentar com as minhas amigas, sabe."

Eu pedi desculpas feito um demente, porque a banda estava começando uma rápida. Ela começou o swing comigo — mas só bem tranquilinho, nada cafona. Ela era boa mesmo. Era só você encostar nela. E quando ela girava, aquela bundinha bonitinha remexia tão lindo e tal. Ela me derrubou. Sério. Eu estava meio apaixonado por ela quando a gente sentou. Esse que é o negócio com as mulheres. Toda vez que elas fazem alguma coisa bonita, mesmo que não sejam lá muito lindas, ou mesmo que sejam meio idiotas, você já meio que se apaixona por elas, e aí você *perde* o pé, diabo. Mulheres. Jesus amado. Elas são capazes de te enlouquecer. São mesmo.

Elas não me convidaram pra sentar na mesa delas — acima de tudo porque eram ignorantes demais —, mas eu sentei mesmo assim. A loira que tinha dançado comigo se chamava Bernice não sei das quantas — Crabs ou Krebs. As duas feiosas se chamavam Marty e Laverne. Eu disse que me chamava Jim Steele, só de farra. Aí tentei começar uma conversinha inteligente com elas, mas era praticamente impossível. Só torcendo o braço daquelas ali. Mal dava pra você dizer qual que era a mais idiota. E as três ficavam olhando pra tudo quanto era lado da desgraça do salão, como se estivessem esperando que uma droga de uma manada de *estrelas de cinema* entrasse a qualquer momento. Elas provavelmente achavam que as estrelas de cinema sempre ficavam pelo Lavender Room quando vinham a Nova York, em vez de irem no Stork Club ou no El Morocco e tal. Enfim, eu levei uma meia hora pra descobrir onde as três trabalhavam em Seattle e tal. Todas elas trabalhavam na mesma agência de seguros. Perguntei se elas gostavam, mas você acha que dava pra arrancar uma resposta inteligente de uma daquelas três bocós? Eu achei que as duas feiosas, Marty e Laverne, eram irmãs, mas elas ficaram pra lá de ofendidas quando eu perguntei. Dava pra você ver que nenhuma queria ser parecida com a outra, o que era mais que compreensível, mas foi bem divertido mesmo assim.

Eu dancei com todas — todas as três —, uma de cada vez. A feiosa um, a Laverne, não era das piores dançarinas, mas a feiosa dois, a nossa amiga Marty, era uma catástrofe. A nossa amiga Marty era como arrastar a Estátua da Liberdade pela pista. O único jeito de eu me divertir nem que fosse um tiquinho arrastando aquela ali de um lado pro outro era se eu brincasse um pouco. Então eu disse pra ela que tinha acabado de ver o Gary Cooper, o astro de cinema, do outro lado da pista.

"*Onde?*", ela me perguntou — empolgada pra diabo. "*Onde?*"

"Ah, você perdeu ele por um triz. Ele acabou de sair. Por que você não olhou quando eu falei?"

Ela praticamente parou de dançar, e começou a olhar por cima da cabeça de todo mundo pra ver se conseguia enxergar o Gary Cooper. "Ah, bolas!", ela disse. Eu tinha praticamente partido o coraçãozinho dela — tinha mesmo. Eu estava lamentando pra diabo ter enganado a moça. Tem gente que você não devia enganar, nem que mereça.

Só que o bem engraçado foi o seguinte. Quando a gente voltou pra mesa, a nossa amiga Marty contou pras outras duas que o Gary Cooper tinha acabado de sair. Rapaz, as nossas amigas Laverne e Bernice quase cometeram suicídio quando ouviram aquela. Elas ficaram todas empolgadinhas e perguntaram pra Marty se ela tinha visto o sujeito e tal. A nossa amiga Mart disse que só de relance. Aquela me matou.

O bar estava fechando, então eu paguei duas bebidas pra cada uma antes de fechar, e pedi mais duas Cocas pra mim. A merda da mesa estava que era um nojo de tanto copo. A feiosa um, a Laverne, ficava gozando de mim porque eu só estava tomando Coca. Tinha um senso de humor refinadíssimo, a moça. Ela e a nossa amiga Marty estavam bebendo Tom Collins — no meio de dezembro, meu Deus do céu. Elas não tinham nem ideia. A loira, a nossa amiga Bernice, estava bebendo bourbon com água. E entornando legal. Todas as três ficavam o tempo todo procurando estrelas de cinema. Elas mal conversavam — nem entre si. A nossa amiga Marty falava mais que as outras duas. Ela ficava dizendo umas coisas chatas e cafonas, tipo chamar o banheiro de "WC", e ela achou que o coitado do clarinetista surrado do Buddy Singer era sensacional quando ele levantou e mandou umas frases geladas de jazz. Ela chamava o clarinete dele de "palitinho de alcaçuz". Como era cafona. A outra feiosa, a um, Laverne, achava que era uma figura espirituosíssima. Ela ficava me pedindo pra ligar pro meu pai e perguntar o que ele estava fazendo naquela noite. Ficava me perguntando se o meu pai estava dando umas voltas com alguém ou não. *Quatro vezes* ela perguntou isso aí — era certamente espirituosa. A nossa amiga Bernice, a loira, quase não abriu a boca. Toda vez que você perguntava alguma coisa pra ela, ela dizia, "O quê?". Isso depois de um tempo dá nos nervos.

Do nada, quando terminaram de beber, todas as três levantaram e disseram que tinham que ir dormir. Elas disseram que iam acordar cedo pra ver o primeiro show do dia no Radio City Music Hall. Eu tentei fazer elas ficarem mais um tempo, mas elas não quiseram. Aí a gente se despediu e tal. Eu disse que ia procurar por elas em Seattle qualquer dia, se passasse por lá, mas duvido que eu vá. Procurar por elas, quer dizer.

Com os cigarros e tal, a conta deu umas treze pratas. Acho que elas deviam pelo menos ter se ofere*ci*do pra pagar o que tinham bebido antes de eu sentar com elas — eu não ia ter *deixado*, claro, mas elas deviam pelo menos ter sugerido. Só que eu nem me incomodei muito. Elas eram tão ignorantes, e tinham aqueles chapelinhos chiques tão tristes e tal. E aquela história de acordar cedo pra pegar o primeiro show no Radio City Music Hall me deprimiu. Se alguém, alguma moça com um chapéu horrendo, por exemplo, se arrasta até Nova York — de Seattle, lá em *Washing*ton, meu Deus do céu — e acaba acordando de manhã cedo pra pegar a desgraça do primeiro show no Radio City Music Hall, a coisa me deprime tanto que eu não aguento. Eu teria pagado *cem* bebidas pras três se elas só não tivessem me dito aquilo.

Saí do Lavender Room pouco depois delas. Eles já estavam fechando mesmo, e a banda já tinha ido embora bem antes. Pra começo de conversa, era um daqueles lugares onde é muito terrível você ficar a não ser que tenha alguém bom pra dançar com você, ou a não ser que o garçom te deixe comprar bebida de verdade em vez de Coca e só. Não existe boate nesse mundo onde dê pra você ficar um tempão sentado a não ser que consiga pelo menos comprar uns drinques e ficar bêbado. Ou a não ser que você esteja com alguma menina que te derrube de verdade.

11

Do nada, a caminho do saguão, a nossa amiga Jane Gallagher apareceu de novo na minha cabeça. Apareceu, e eu não consegui fazer sumir. Sentei numa poltrona com cara de vomitada ali no saguão e pensei nela e no Stradlater sentados naquela desgraça do carro do Ed Banky, e apesar de ter quase certeza que o nosso amigo Stradlater não mandou ver com ela — eu conhecia a nossa amiga Jane que nem um livro aberto —, nem assim eu conseguia tirar a menina da cabeça. Eu conhecia a Jane que nem um livro aberto. Conhecia mesmo. Quer dizer, fora o jogo de damas, ela gostava bastante de tudo quanto era esporte, e depois que a gente se conheceu, o verão inteiro a gente jogou tênis juntos quase toda manhã e golfe quase toda tarde. Eu acabei conhecendo ela bem intimamente mesmo. Não estou dizendo que foi alguma coisa *física* nem nada — não foi —, mas a gente se via direto. Não é sempre que você precisa ficar todo sexual pra poder conhecer uma menina.

O jeito que a gente se conheceu foi porque o dobermann dela vinha se aliviar no nosso gramado, e a minha mãe foi ficando bem irritada. Ela ligou pra mãe da Jane e fez um escarcéu enorme. A minha mãe é bem capaz de fazer um escarcéu enorme por esse tipo de coisa. Aí o que aconteceu foi que uns dias depois eu vi a Jane deitada de bruços do lado da piscina, no clube, e disse oi. Eu sabia que ela morava na casa do lado da nossa, mas nunca tinha conversado com ela nem nada. Só que ela me deu uma gelada quando eu disse oi naquele dia. Me deu uma trabalheira do cão convencer a Jane que *eu* nem ligava *onde* o cachorro dela se aliviava. Por mim ele podia fazer até na nossa sala de estar. Enfim, depois disso, eu e a Jane ficamos amigos e tal. Eu joguei golfe com ela naquela tarde mesmo. Ela perdeu oito bolas, eu lembro. *Oito.* Me deu uma trabalheira desgraçada convencer a menina a pelo menos abrir os olhos quando tentava acertar a bola. Só que eu melhorei demais o jogo dela. Eu sou um golfista excelente. Se eu te contasse o meu escore você provavelmente nem ia acreditar. Eu quase entrei num curta uma vez, mas mudei de ideia no último minuto. Saquei que pra um cara que odeia cinema que nem eu, eu ia ser muito fajuto se deixasse eles me meterem num curta.

Ela era engraçada, a nossa amiga Jane. Eu não diria que ela era estritamente linda. Só que me derrubou. Ela era meio boca de caçapa. Quer dizer, quando ela estava falando e se empolgava com alguma coisa, aquela boca meio que apontava pra uns cinquenta lados diferentes, com os lábios e tal. Aquilo me matava. E ela nunca fechava direito, aquela boca. Estava sempre um tiquinho aberta, especialmente quando a Jane ficava na posição de dar a tacada, ou quando estava lendo um livro. Ela vivia lendo, e lia uns livros ótimos. Lia muita poesia e tal. Ela foi a única pessoa, fora a minha família, que eu deixei ver a luva do Allie, com aqueles poemas todos escritos. Ela nunca conheceu o Allie nem nada, porque era o primeiro verão dela no Maine — antes disso ela ia pra Cape Cod —, mas eu contei muita coisa dele. Ela se interessava por esse tipo de coisa.

A minha mãe não gostava tanto dela. Quer dizer, a minha mãe sempre achou que a Jane e a mãe dela estavam esnobando ou sei lá o quê quando elas não diziam oi. A minha mãe via as duas direto na cidade, porque a Jane ia com a mãe, dirigindo um conversível LaSalle que elas tinham. A minha mãe nem achava que a Jane era bonita. Só que eu achava. Eu gostava da cara dela, e pronto.

Eu lembro de uma tarde. Foi a única vez que a nossa amiga Jane e eu chegamos minimamente perto de dar uns malhos. Era sábado e estava chovendo pra burro, eu estava na casa dela, na varanda — eles tinham uma varandona fechada com tela. A gente estava jogando damas. Eu de vez em quando gozava dela porque ela não tirava as damas da última fileira. Mas eu nem sacaneei muito com ela. Nunca dava vontade de sacanear muito a Jane. Acho que eu prefiro mesmo as meninas que dá pra você sacanear adoidado quando pode, mas é um negócio engraçado. Eu gosto mais é das meninas que nunca me dão grandes vontades de sacanear. Às vezes eu acho que elas iam *gostar* se eu gozasse delas — a bem da verdade eu *sei* que iam —, mas é duro começar, depois de você já conhecer as meninas faz tempo e nunca ter gozado delas. Enfim, eu estava te contando daquela tarde em que eu e a Jane quase demos uns malhos. Estava chovendo pra diabo e a gente estava na varanda da casa dela e, do nada, o bebum que era casado com a mãe dela apareceu na varanda e perguntou pra Jane se tinha cigarro em casa. Eu nem conhecia o cara direito nem nada, mas parecia o tipo de sujeito que nem ia te dirigir a palavra se não quisesse alguma coisa de você. O sujeito tinha uma personalidade bem porcaria. Enfim, a nossa amiga Jane não quis responder quando ele perguntou se ela sabia se tinha cigarro. Aí o tipo perguntou de novo, mas ela ainda não quis responder. Ela nem tirou os olhos do tabuleiro. O cara acabou entrando na casa de novo. Quando ele entrou, eu perguntei pra Jane o que diabo estava acontecendo. Ela não quis *me* responder, na hora. Fingiu que estava se concentrando no lance seguinte do jogo e tal. Aí, do nada, me cai uma lágrima no tabuleiro. Numa das casas pretas — rapaz, eu ainda consigo ver. Ela só passou o dedo no tabuleiro pra limpar. Não sei por quê, mas aquilo me transtornou pra diabo. Então o que eu fiz foi que eu cheguei mais perto e fiz ela dar um canto na cadeira de balanço pra eu poder sentar do lado dela — eu praticamente sentei no *colo* dela, a bem da verdade. Aí ela começou a chorar *de verdade*, e quando eu vi eu já estava beijando ela por tudo — em *to*da parte —, nos olhos, no *nariz*, na testa, nas sobrancelhas e tal, nas *orelhas* — no rosto todo fora a boca e tal. Ela meio que não me deixava chegar na boca. Enfim, foi o mais perto que a gente chegou de dar uns malhos. Depois de um tempo, ela levantou, foi lá pra dentro e vestiu uma blusa vermelha e branca que ela tinha, que me derrubava, e a gente foi ver uma droga de um filme. Eu perguntei, no caminho, se o sr. Cudahy — era o nome do bebum — já tinha tentado dar uma de safado com ela. Ela era bem novinha, mas tinha um físico sensacional, e eu não diria que aquele filho da puta do Cudahy não pudesse se rebaixar a esse nível. Só que ela disse que não. Eu nunca descobri o que diabo estava errado ali. Tem meninas que você praticamente nunca sabe o que está errado.

Eu não quero que você fique pensando que ela era um *iceberg* ou sei lá o quê, só porque a gente nunca deu uns malhos nem fez bobeira. Não era. Eu vivia de mãos dadas com ela, por exemplo. Isso não parece grande coisa, eu sei, mas ela era sensacional pra você ficar de mãos dadas. Com a maioria das meninas, se elas ficam de mãos dadas com você, a desgraça da mão delas *morre* em cima de você, ou elas acham que têm que ficar *mexendo* a mão o tempo todo, como se tivessem medo de te deixar de saco cheio ou sei lá o quê. A Jane era diferente. A gente entrava numa droga de um filme ou sei lá o quê, e já de cara a gente se dava as mãos, e não largava mais até o filme acabar. E sem mudar de posição nem fazer grandes cenas. Você nem se preocupava, com a Jane, se a tua mão estava ou não estava suando. A única coisa que você sabia era que você estava feliz. Feliz mesmo.

Outra coisa que eu acabei de lembrar. Uma vez, num filme, a Jane fez um negócio que praticamente me derrubou. Estava passando o cinejornal ou sei lá o quê e, do nada, eu senti uma mão na minha nuca, e era a da Jane. Foi um negócio engraçado dela fazer. Quer dizer, ela era bem novinha e tal, e a maioria das meninas que você vê pondo a mão na nuca de alguém, elas têm lá seus vinte e cinco ou trinta anos e normalmente estão fazendo isso com o marido ou um filhinho — eu faço de vez em quando com a minha irmãzinha, por exemplo, a Phoebe. Mas se a menina é bem novinha e tal e faz aquilo, é tão lindo que praticamente te mata.

Enfim, era nisso que eu estava pensando sentado ali naquela cadeira com cara de vomitada no saguão. Na nossa amiga Jane. Toda vez que eu chegava na parte em que ela saía com o Stradlater na desgraça daquele carro do Ed Banky, aquilo me deixava quase louco. Eu sabia que ela não ia deixar ele se engraçar de verdade com ela, mas aquilo me deixava louco mesmo assim. Não gosto nem de falar disso, se você quer saber a verdade.

Não tinha mais quase ninguém no saguão. Nem as loiras com jeito de puta estavam mais por ali e, do nada, me deu vontade de sumir daquele inferno. Era deprimente demais. E eu não estava cansado nem nada. Então subi pro meu quarto e vesti o casaco. Eu também dei uma olhada pela janela pra ver se os pervertidos todos ainda estavam em ação, mas as luzes e tal agora estavam apagadas. Desci de novo de elevador e peguei um táxi e disse pro chofer me levar pro Ernie's. O Ernie's é uma boate no Greenwich Village onde o meu irmão D.B. ia com certa frequência, antes de ir pra Hollywood e se prostituir. Ele me levava lá de vez em quando. O Ernie é um negro balofo que toca piano. Ele é pra lá de esnobe e nem te dirige a palavra, a não ser que você seja figurão ou famoso ou sei lá o quê, mas toca um piano sério. Ele é tão bom que chega quase a ser cafona, na verdade. Não sei exatamente o que eu quero dizer com isso, mas é o que eu quero dizer. Certamente que eu gosto de ouvir ele tocar, mas às vezes dá vontade de ir lá e emborcar o piano do sujeito. Acho que é porque às vezes, quando ele toca, ele *parece* o tipo de cara que não te dirige a palavra se você não for figurão.

12

O táxi que eu peguei era velho pacas e cheirava como se alguém tivesse acabado de botar os bofes pra fora ali dentro. Eu sempre pego esses táxis vomitados se resolvo sair tarde da noite. Mas o pior era como estava tudo tão quieto e tão abandonado lá fora, mesmo sendo noite de sábado. Eu não vi quase ninguém na rua. Bem de vez em quando você via um cara e uma menina atravessando a rua, abraçadinhos e tal, ou uns sujeitos com cara de bandidos e com as meninas lá deles, todo mundo rindo que nem hiena de alguma coisa que dava pra apostar que nem tinha graça. Nova York é um lugar horroroso quando alguém ri na rua bem tarde da noite. Dá pra ouvir a quilômetros. Te dá uma solidão, uma depressão tão grande. Eu ficava querendo poder ir pra casa e trocar uma ideia por um tempo com a nossa amiga Phoebe. Mas finalmente, depois que eu já estava ali fazia um tempo, o chofer e eu meio que engatamos uma conversa. O nome dele era Horwitz. Era um fulano bem mais bacana do que o meu outro chofer. Enfim, eu pensei que talvez ele pudesse saber dos patos.

"Olha só, Horwitz", eu disse. "Por acaso você passa de vez em quando pelo lago lá do Central Park? Perto da Central Park South?"

"O *o quê*?"

"O lago. Aquele laguinho, assim, lá. Onde tem os patos. Sabe."

"Sei, que é que tem?"

"Bom, sabe os patos que ficam nadando lá? Na primavera e tal? Será que você sabe pra onde eles vão no inverno, por acaso?"

"Pra onde *quem* vai?"

"Os patos. Você sabe, por acaso? Quer dizer, será que alguém aparece lá com um caminhão e tal e leva eles embora, ou será que eles saem voando sozinhos — vão pro sul ou sei lá o quê?"

O nosso amigo Horwitz se virou inteiro pra me olhar. Era um sujeito bem do tipo impaciente. Só que não era um cara ruim não. "Como é que eu vou saber, diabo?", ele disse. "Como é que eu vou saber um negócio idiota que nem esse, diabo?"

"Bom, não precisa ficar *puto*", eu disse. Ele estava puto com aquilo ou sei lá o quê.

"Quem que está puto? Ninguém está puto."

Eu parei de conversar com ele, se era pra ele ficar sensível daquele jeito. Mas ele começou de novo. Ele se virou de novo inteiro pra trás e disse, "Os peixes não vão pra lugar nenhum. Eles ficam exatamente onde estão, os peixes. Bem lá na droga do lago".

"Os peixes — aí já é outra coisa. Peixe é outra coisa. Eu estou falando dos *patos*", eu disse.

"O que é que tem de dife*ren*te? Não tem nada de dife*ren*te", o Horwitz disse. Em tudo que ele dizia, parecia que ele estava puto com alguma coisa. "É mais duro pros *peixes*, o inverno e tal, que pros patos, pelamordedeus. Use a cabeça, pelamordedeus."

Eu fiquei coisa de um minuto sem abrir a boca. Aí abri, "Tudo bem. O que é que eles fazem, os peixes e tal, quando aquele laguinho inteiro vira uma pedrona de gelo, com o povo *patinando* ali e tal?".

O nosso amigo Horwitz se virou de novo. "Que desgraça que cê quer dizer, o que que eles fazem?", ele berrou comigo. "Eles ficam exatamente onde estão, pelamordedeus."

"Não dá pra eles simplesmente ignorarem o gelo. Não dá pra eles simplesmente igno*ra*rem."

"Quem é que vai ignorar? Ninguém vai igno*rar*!", o Horwitz disse. Ele foi ficando tão exaltado e tal que eu fiquei com medo que ele metesse o táxi direto num poste ou sei lá o quê. "Eles vivem bem *ali* na desgraça do gelo. É a natureza deles, pelamordedeus. Eles ficam congeladinhos no mesmo lugar o inverno inteiro."

"Ah, é? E eles comem o quê, então? Quer dizer, se eles estão *congeladões*, não tem como ficar nadando pra procurar *comida* e tal."

"O *corpo* deles, pelamordedeus — que que cê tem na cabeça? O corpo deles absorve nutriente e tal, absorve da desgraça das algas e daquelas merdas que ficam lá no gelo. Eles ficam o tempo todo com os *poros* abertos. É a *natureza* deles, pelamordedeus. Deu pra entender?" Ele se virou de novo inteirinho pra trás pra olhar pra mim.

"Ah", eu disse. Larguei mão. Estava com medo que ele destruísse a droga do táxi ou sei lá o quê. Fora que ele era um carinha tão sensível que nem dava prazer discutir com ele. "Você quer dar uma parada pra tomar um negócio comigo em algum lugar?", eu disse.

Só que ele não me respondeu. Acho que ainda estava pensando. Só que eu perguntei de novo. Ele era um cara bem bacana. Bem divertido e tal.

"Não tenho tempo pra beber, meu chapa", ele disse. "Aliás, quantos anos que você tem afinal? Por que é que cê não tá dormindo em casa?"

"Eu não estou cansado."

Quando eu cheguei na frente do Ernie's e paguei a corrida, o nosso amigo Horwitz mencionou de novo os peixes. Certamente que aquilo ficou na cabeça dele. "Escuta", ele disse. "Se você fosse peixe, a Mãe Natureza ia cuidar de *você*, não ia? Certo? Você não acha que aqueles peixinhos simplesmente *morrem* quando chega o inverno, né?"

"Não, mas —"

"Pois nem a pau mesmo que eles morrem", disse o Horwitz, e saiu voando que nem pombo sem asa. Ele devia ser o cara mais sensível que eu conheci na vida. Ficava puto com tudo que você dizia.

Apesar de ser tarde daquele jeito, o nosso amigo Ernie's estava lotado. Quase só de panacas de escolas chiques que nem a minha, e de universitários panacas. Quase toda escola do mundo libera o pessoal pras férias de Natal antes da droga das escolas onde *eu* estudo. Mal dava pra guardar o casaco, na entrada, de tão cheio que estava. Só que estava tudo bem quieto, porque o Ernie estava tocando piano. Em teoria era um negócio *sagrado*, meu Deus do céu, quando ele sentava na frente do piano. Ninguém é *tão* bom assim. Uns três casais, fora eu, estavam esperando mesa, e todo mundo ali se acotovelando e ficando na pontinha dos pés pra poder ver o nosso amigo Ernie enquanto ele tocava. Ele tinha uma desgraça de um espelhão bem na frente do piano, com um holofotão em cima dele, pra todo mundo poder ver a cara dele enquanto ele tocava. Não dava pra você ver os *dedos* dele enquanto ele tocava — só aquela carantonha. Grandes porcarias. Não sei direito o nome da música que ele estava tocando quando eu entrei, mas fosse lá o que fosse, ele estava cagando tudo. Estava colocando um monte de floreios patetas e exibidos nas notas agudas, e um monte de umas coisas bem complicadas que me deixam de saco cheio. Só que você tinha que ter visto a plateia, quando ele acabou. Você ia ter vomitado. Eles piraram. Eram exatamente as mesmas bestas que riem que nem hiena no cinema, de umas coisas sem graça. Juro por Deus, se eu fosse pianista ou ator ou sei lá mais o quê e esses bocós achassem que eu era sensacional, eu ia odiar. Não ia nem querer que me *aplaudissem*. O povo sempre aplaude as coisas erradas. Se eu fosse pianista, ia tocar dentro da droga do armário. Enfim, quando ele acabou, e todo mundo estava aplaudindo até não poder mais, o nosso amigo Ernie se virou pra trás e agradeceu com uma reverência toda *humilde*, pra lá de fajuta. Como se ele fosse um sujeito humilde pra diabo, além de ser um pianista sensacional. Foi bem fajuto — quer dizer, com ele sendo o puta esnobe que é e tal. Só que de um jeito esquisito eu meio que fiquei com pena dele quando acabou. Acho que ele nem *sabe* mais quando está tocando direito ou errado. Não é culpa só dele. Pra mim, um pouco da culpa é desse monte de bocós que ficam aplaudindo até não poder mais — eles eram capazes de estragar qual*quer* um, se você desse chance. Enfim, aquilo me deixou de novo bem deprimido e pra baixo, e eu quase fui pegar o casaco pra voltar pro hotel, mas era cedo demais e eu não estava muito a fim de ficar sozinho.

Finalmente me deram uma mesinha porcaria, bem contra a parede e atrás da droga de uma coluna, onde não dava pra você enxergar nada. Era uma daquelas mesinhas minúsculas que se o pessoal da mesa do lado não levanta e te deixa passar — e eles nunca *levantam*, os filhos da puta —, você praticamente tem que *escalar* a cadeira. Eu pedi um scotch com soda, que é a minha bebida favorita, junto com frozen daiquiri. Se você tivesse só seis aninhos, dava pra conseguir uma bebida no Ernie's, já que era tão escuro e tal, e fora que ninguém queria nem saber da tua idade. Você podia até ser um drogado que ninguém ia querer saber.

Eu estava cercado de panacas. Sem brincadeira. Numa outra mesinha minúscula, bem à minha esquerda, praticamente em *cima* de mim, tinha um sujeito com uma cara esquisita e uma moça com uma cara esquisita. Eram mais ou menos da minha idade, ou talvez só um pouquinho mais velhos. Era esquisito. Dava pra você ver que eles estavam tomando um cuidado do cão pra não terminar rápido demais a consumação mínima. Eu fiquei um tempo ouvindo a conversa deles, porque eu não tinha mais o que fazer. Ele estava contando pra ela de um jogo de futebol americano profissional que tinha visto de tarde. Ele descreveu a desgraça do jogo jogada por jogada pra ela — sem brincadeira. Era o tipo mais chato que eu já ouvi na vida. E dava pra ver que a menina nem estava interessada na desgraça do jogo, mas ela tinha uma cara ainda mais esquisita que a *dele*, então acho que era *obrigada* a escutar. Mulher feia de verdade come o pão que o diabo amassou. Às vezes eu fico com tanta pena delas. Às vezes eu nem consigo olhar pra elas, especialmente se estão com algum bocó que fica contando uma desgraça de um jogo inteiro de futebol americano. Só que do meu lado *direito* a conversa era ainda pior. Do meu lado direito estava um sujeitinho com a maior cara de Zé da Universidade, com um terno de flanela cinza e um colete xadrez daqueles de desmunhecado. Esses filhos da puta lá das universidades de elite são todos iguais. O meu pai quer que eu vá pra Yale, ou quem sabe Princeton, mas eu juro que não ia pra uma dessas universidades de elite nem que estivesse *morrendo*, meu Deus do céu. Enfim, esse sujeito com cara de Zé da Universidade estava com uma menina sensacional. Rapaz, como era linda. Mas você tinha que ter ouvido a conversa dos dois. Pra começar, os dois estavam meio zuretas. O que ele estava fazendo é que ele estava dando uma apalpada nela por baixo da mesa, e ao mesmo tempo contando pra ela a história todinha de um sujeito do dormitório dele que tinha tomado um frasco inteiro de aspirina e quase tinha cometido suicídio. A menina ficava dizendo pra ele, "Que hor*ror*... Não, querido. Por favor, não. Não aqui". Imagine dar uma apalpada em alguém e ao mesmo tempo ficar falando de um sujeito que quase cometeu suicídio! Eles me matavam.

Mas certamente que eu comecei a me sentir na lama, sentado ali sozinho. A única coisa que eu tinha pra fazer era fumar e beber. Só que o que eu acabei fazendo foi que eu pedi pro garçom perguntar pro Ernie se ele queria tomar alguma coisa comigo. Pedi pra ele dizer que eu era irmão do D.B. Só que acho que ele nem passou o recado. Aqueles filhos da puta nunca dão o teu recado pra ninguém.

Do nada, uma moça veio até onde eu estava e disse, "Holden Caulfield!". Ela se chamava Lillian Simmons. O meu irmão D.B. deu umas voltas com ela por um tempo. Tinha uns peitões enormes.

"Oi", eu disse. Eu tentei levantar, lógico, mas não era mole levantar, num lugar que nem aquele. Ela estava com um oficial da marinha que parecia mais certinho que relógio suíço.

"Que maravilha te encontrar!", a nossa amiga Lillian Simmons disse. Estritamente fajuta. "Como é que vai o teu irmão mais velho?" Era a única coisa que ela queria saber de verdade.

"Ele está bem. Está em Hollywood."

"Em Holly*wood*! Que mara*vi*lha! O que ele está fa*zen*do?"

"Sei lá. Escrevendo", eu disse. Eu não estava a fim de discutir aquilo. Dava pra você ver que ela achava aquilo grandes coisas, ele estar em Hollywood. Quase todo mundo acha. Especialmente quem nunca leu um conto dele. Só que isso me deixa louco.

"Que empol*gante*", a nossa amiga Lillian disse. Aí ela me apresentou pro sujeito da marinha. O nome dele era comandante Blop ou sei lá o quê. Era um daqueles caras que acham que estão sendo veadinhos se não te quebram uns quarenta dedos da mão quando te cumprimentam. Jesus, como eu odeio esse negócio. "Você está sozinho, querido?", a nossa amiga Lillian me perguntou. Ela estava travando *toda a droga do trânsito* na passagem entre as mesas. Dava pra você ver que ela gostava de travar um monte de trânsito. Tinha um garçom esperando ela sair da frente, mas ela nem percebeu que ele estava ali. Estava engraçado. Dava pra você ver que o garçom não ia muito com a cara dela, dava pra você ver que nem o sujeito da marinha ia muito com a cara dela, apesar de estar dando umas voltas com ela. E *eu* não ia muito com a cara dela. Ninguém ia. Você tinha que meio que sentir pena dela, até. "Você não veio com alguma menina, querido?", ela me perguntou. Eu agora estava de pé, e ela nem me disse pra sentar. Era do tipo que te deixa parado de pé por horas. "Ele não é bonitão?", ela disse pro sujeito da marinha. "Holden, você está ficando mais bonitão a cada dia." O sujeito da marinha disse pra ela ir andando. Disse que eles estavam travando todo o espaço entre as mesas. "Holden, venha ficar com a gente", a nossa amiga Lillian disse. "Traga a tua bebida."

"Eu já estava de saída", eu disse pra ela. "Eu tenho que ir encontrar uma pessoa." Dava pra você ver que ela só estava tentando cair nas minhas graças. Pra eu contar tudo pro nosso amigo D.B.

"Ah, seu coisinha. Bom pra você, então. Diz pro teu irmão mais velho que eu odeio ele, quando vocês se virem."

Aí ela foi embora. O sujeito da marinha e eu dissemos que tinha sido um prazer. O que sempre me mata. Eu estou sempre dizendo "Foi um prazer" pra alguém que não foi prazer *nenhum* ter conhecido. Só que se você quiser continuar vivo, tem que dizer essas coisas.

Depois que eu falei pra ela que tinha que ir encontrar uma pessoa, eu não tinha mais alternativa, desgraça, tinha que *ir embora*. Não dava nem pra ficar por ali pra ouvir o nosso amigo Ernie tocar alguma coisa minimamente aceitável. Mas eu é que certamente não ia ficar sentado com a nossa amiga Lillian Simmons e aquele sujeito da marinha, pra simplesmente morrer de tédio. Então fui embora. Só que fiquei louco da vida quando estava pegando o casaco. As pessoas vivem estragando as coisas pra você.

13

Eu voltei a pé pro hotel. Quarenta e uma quadras esplendorosas. E não foi porque eu estava a fim de andar nem nada. Foi mais porque eu não estava a fim de entrar e sair de mais um táxi. Às vezes você fica cansado de andar de táxi do mesmo jeito que fica cansado de andar de elevador. Do nada, você tem que ir a pé, por mais que seja longe ou que seja alto. Quando eu era criança, eu muitas vezes subia de escada até o nosso apartamento. Doze andares.

Não dava nem pra você perceber que tinha nevado. Mal tinha neve nas calçadas. Mas estava um frio do cão, e eu tirei do bolso o meu boné vermelho de caçador e pus na cabeça — estava pouco me lixando pra minha aparência. Eu até baixei o tapa-orelha. Queria era saber quem tinha afanado as minhas luvas na Pencey, porque eu estava com as mãos geladas. Não que eu fosse fazer grandes coisas, mesmo que soubesse. Eu sou desses sujeitos bem frouxos mesmo. Eu tento não dar na vista, mas sou. Por exemplo, se tivesse descoberto lá na Pencey quem tinha roubado as minhas luvas, eu provavelmente ia ter chegado no quarto do pilantra e ter dito, "Muito bem. Que tal me devolver aquelas luvas?". Aí o pilantra que tinha roubado provavelmente ia dizer, com a voz mais inocente e tal, "Que luvas?". Aí o que eu provavelmente ia fazer era que eu ia fuçar no armário dele e encontrar as luvas em algum lugar. Escondidas dentro da droga das galochas dele ou sei lá o quê, por exemplo. Eu ia ter tirado elas dali e mostrado pro cara e ia ter dito, "Então essas luvas aqui devem ser *tuas*, né, desgraçado?". Aí o pilantra provavelmente ia me olhar de um jeito bem fajuto e inocente, e ia dizer, "Nunca vi essas luvas na vida. Se são tuas, pode levar. Eu é que não quero essa desgraça aí". Aí eu provavelmente ia ficar ali uns cinco minutos. Ia estar com a desgraça das luvas bem na mão e tal, mas ia sentir que precisava socar o cara no queixo ou sei lá o quê — quebrar a droga do queixo dele. Só que eu não ia ter culhão pra fazer isso. Ia só ficar ali *parado*, tentando fazer cara de mau. O que eu podia fazer era que eu podia dizer alguma coisa bem ácida e ranheta, pra irritar o sujeito — *em vez* de socar ele no queixo. Enfim, se eu dissesse mesmo alguma coisa bem ácida e ranheta, ele provavelmente ia levantar e chegar mais perto e dizer, "Escuta, Caulfield. Você está me chamando de pilantra?". *Aí*, em vez de dizer, "Certamente que estou, seu pilantra filho da puta de uma figa!", a única coisa que eu ia dizer provavelmente era, "Eu só sei que a droga da minha luva estava na droga da *tua* galocha". E de cara o fulaninho ia saber com certeza que eu não ia dar um soco nele, e provavelmente ia dizer, "Escuta. Vamos deixar isso bem claro. Você está me chamando de ladrão?". Aí eu provavelmente ia dizer, "Ninguém está chamando ninguém de ladrão. Eu só sei que a minha luva estava na droga da tua galocha". Isso podia ficar *horas* desse jeito. Só que finalmente eu ia acabar saindo do quarto do cara sem nem dar um soco nele. Eu provavelmente ia descer até o banheiro com um cigarrinho escondido e ficar fazendo cara de mau no espelho. Enfim, foi nisso que eu fiquei pensando em todo o caminho de volta pro hotel. Não tem graça ser frouxo. Talvez eu não seja *inteiro* frouxo. Não sei. Acho que talvez eu seja só um pouco frouxo e um pouco o tipo que está pouco se lixando se perde as luvas. Um dos meus problemas é que eu nunca sofro muito quando perco alguma coisa — a minha mãe ficava louca quando eu era criança. Tem gente que passa *dias* procurando alguma coisa que perdeu. Parece que eu nunca tenho alguma coisa que se eu perdesse ia me fazer sofrer muito. Talvez seja porque eu sou meio frouxo. Só que isso não é desculpa. Não mesmo. O negócio é não ser nada frouxo. Se em teoria você tem que socar o queixo de alguém, e meio que está a fim, você deve é socar. Só que eu não levo jeito. Eu ia preferir empurrar um cara pela janela ou arrancar a cabeça dele com um machado do que socar ele no queixo. Odeio briga de soco. Não me incomoda tanto tomar pancada — se bem que eu não adore, lógico —, mas o que me dá mais medo numa briga de soco é o rosto do cara. Eu não suporto ficar olhando pro rosto do outro cara, esse que é o meu problema. Podia ser até melhor se desse pros dois usarem umas vendas ou sei lá o quê. É um tipo engraçado de frouxidão, se você parar pra pensar, mas continua sendo frouxidão sim. Eu não estou me iludindo.

Quanto mais eu pensava nas luvas e na minha frouxidão, mais ficava deprimido, e decidi, enquanto estava caminhando e tal, parar e beber alguma coisa em algum lugar. Eu só tinha tomado três drinques no Ernie's, e nem terminei o último. Se tem um negócio que não me falta é uma resistência sensacional. Eu posso passar a noite inteira bebendo e nem dar na cara, se eu estiver no clima. Uma vez, na Whooton School, eu e um outro menino, o Raymond Goldfarb, compramos uma garrafinha de scotch e bebemos na capela no sábado à noite, onde ninguém ia ver. Ele ficou torto, mas eu mal dava na vista. Eu só fiquei bem calminho e relaxado. Eu vomitei antes de ir pra cama, mas nem precisava de verdade — eu forcei.

Enfim, antes de chegar no hotel, eu quis entrar num barzinho com cara de espelunca, mas dois sujeitos saíram, bêbados de cair, e queriam saber onde era o metrô. Um deles era um sujeitinho com toda a pinta de cubano, e ele ficava soltando aquele bafo nojento na minha cara enquanto eu dava a informação. Acabei voltando direto pro hotel.

O saguão inteiro estava vazio. O cheiro era de cinquenta milhões de cigarros mortos. Era mesmo. Eu não estava com sono nem nada, mas estava meio que me sentindo um nojo. Deprimido e tal. Eu quase quis morrer.

Aí, do nada, eu me meti numa bruta confusão.

A primeira coisa quando eu entrei no elevador foi que o ascensorista me disse, "Tá interessado numa festinha, meu amigo? Ou já tá tarde pra você?".

"Como assim?", eu disse. Eu não estava entendendo o que ele queria nem nada.

"Tá interessado num rabinho de saia hoje?"

"Eu?", eu disse. O que foi uma resposta pateta pacas, mas é bem constrangedor quando alguém na tua cara te faz uma pergunta dessas.

"Que idade cê tem, chefia?", o ascensorista disse.

"Por quê?", eu disse. "Vinte e dois."

"Ah, sei. Bom, que tal? Tá interessado? Cinco mangos uminha. Quinze a noite inteira." Ele olhou pro relógio. "Até meio-dia. Cinco mangos uminha, quinze até meio-dia."

"Legal", eu disse. Era contra os meus princípios e tal, mas eu estava me sentindo tão deprimido que nem *pensei*. Está aí o problema. Quando você está se sentindo bem deprimido, você nem consegue pensar.

"Legal *o quê*? Uminha, ou até o meio-dia? Eu tenho que saber."

"Só uminha."

"Certo, em que quarto que cê tá?"

Eu olhei pra coisinha vermelha que tinha o meu número, presa na chave. "Mil duzentos e vinte e dois", eu disse. Já estava meio arrependido de ter deixado a coisa começar, mas agora era tarde demais.

"Certo. Eu mando uma menina em quinze minutos, mais ou menos." Ele abriu as portas e eu saí.

"Olha só, ela é bonita?", eu perguntei. "Eu não quero um bucho velho."

"Nada de bucho velho. Não se preocupe, chefia."

"E eu pago pra quem?"

"Pra ela", ele disse. "Anda, chefia." Ele fechou as portas, praticamente na minha cara.

Eu entrei no quarto e molhei um pouco o cabelo, mas cabelo raspado não dá pra você pentear nem nada, no duro. Aí eu testei pra ver se estava com bafo ruim por causa de tanto cigarro e dos scotchs com soda que eu tomei no Ernie's. É só você botar a mão embaixo da boca e soprar o ar pra cima, na direção das narinas. Eu nem estava fedendo muito, mas escovei os dentes mesmo assim. Aí vesti outra camisa limpa. Eu sabia que não tinha que me empetecar todo pra uma prostituta e tal, mas isso meio que me deu alguma coisa pra fazer. Eu estava meio nervoso. Estava começando a me sentir bem sexual e tal, mas estava meio nervoso mesmo assim. Se você quer saber a verdade, eu sou virgem. Virgem mesmo. Eu já tive várias oportunidades de perder a virgindade e tal, mas nunca cheguei a perder. Sempre acontece alguma coisa. Por exemplo, se você está na casa da menina, os pais dela sempre chegam na hora errada — ou você fica com medo que eles cheguem. Ou se você está no banco de trás do carro de alguém, tem sempre alguém no banco da frente — a menina de alguém, por exemplo — que sempre quer saber o que está acontecendo na desgraça do carro *inteiro*. Quer dizer, alguma menina lá na frente fica virando pra trás pra ver que diabo está acontecendo. Enfim, sempre acontece alguma coisa. Só que eu cheguei bem perto umas vezes. Especialmente uma vez, eu lembro bem. Só que alguma coisa deu errado — eu nem lembro mais o que foi. O negócio é que quase sempre quando você está quase lá com uma menina — uma menina que não é prostituta nem nada —, ela fica dizendo pra você parar. O problema comigo é que eu paro. A maioria dos carinhas não para. Eu não consigo. Nunca dá pra você saber se elas *querem* mesmo que você pare, ou se simplesmente estão morrendo de medo, ou se estão dizendo pra você parar só pra culpa ser *tua* se você *for* até o fim, e não delas. Enfim, eu paro toda vez. O problema é que eu fico com pena delas. Quer dizer, a maioria das meninas é tão pateta e tal. Depois de você dar uns malhos com elas, dá pra *ver* os miolos delas minguarem, de verdade. Você veja lá uma menina quando ela está bem fogosa, ela não tem mais cabeça. Sei lá. Elas me dizem pra parar, aí eu paro. Eu sempre me *arrependo*, depois de deixar elas em casa, mas continuo parando mesmo assim.

Enfim, enquanto ia vestindo outra camisa limpa, eu meio que saquei que aquela ali era a minha grande oportunidade, de certa forma. Saquei que se ela era prostituta e tal eu podia dar uma treinada com ela, caso um dia eu casasse e coisa e tal. Às vezes eu me preocupo com essas coisas. Uma vez eu li um livro, na Whooton School, que tinha um cara bem sofisticado, bem sedutor e sexual. Monsieur Blanchard, ele se chamava, eu ainda lembro. Era um livrinho bem porcaria, mas o tal do Blanchard era bom pra dedéu. Ele tinha um château enorme e tal na Riviera, na Europa, e a única coisa que ele fazia nas horas vagas era cair em cima da mulherada a torto e a direito. Ele era um calhorda completo, mas derrubava a mulherada. Ele dizia, lá numa parte, que o corpo de uma mulher é que nem um violino e tal, e que precisa um grande músico pra tocar direito. Era um livro bem cafona — eu sei disso —, mas mesmo assim não tinha como eu tirar da cabeça esse negócio do violino. De certa forma, era por isso que eu queria dar uma treinada, caso um dia eu casasse. Caulfield e seu Violino Mágico, rapaz. É cafona, eu sei, mas não *tão* cafona. Eu bem que queria ser competente com essas coisas. Tem horas, se você quer mesmo saber a verdade, quando eu estou fazendo bobeira com uma menina, que eu tenho uma dificuldade do cão só pra encon*trar* o que eu estou procurando, meu Deus do céu, se é que você me entende. Veja essa menina que quase foi uma relação sexual, que eu te falei. Eu levei coisa de uma *hora* só pra tirar a desgraça do sutiã dela. Quando eu dei jeito de tirar aquilo, ela já estava querendo cuspir na minha cara.

Enfim, eu fiquei andando pelo quarto, esperando a tal da prostituta aparecer. Ficava torcendo pra ela ser bonita. Mas nem fazia tanta diferença. Eu meio que só queria era resolver aquilo. Finalmente alguém bateu na porta, e quando eu fui abrir a minha mala estava bem no caminho e eu caí por cima dela e quase quebrei a desgraça do joelho. Eu sempre escolho o momento ideal pra despencar por cima de uma mala ou sei lá o quê.

Quando eu abri a porta, a tal da prostituta estava ali parada. Estava com um sobretudo de lã de camelo, sem chapéu. Ela era meio loira, mas dava pra você ver que tingia o cabelo. Só que não era nenhum bucho velho. "Como vai", eu disse. Sedutor pra diabo, rapaz.

"É você o camarada que o Maurice disse?", ela me perguntou. Ela não parecia simpática, nem a pau.

"Ele é o ascensorista?"

"É", ela disse.

"Sou. Sou eu. Você quer entrar?", eu disse. Eu estava ficando cada vez mais blasé. Estava mesmo.

Ela entrou e já de cara tirou o casaco e meio que jogou em cima da cama. Estava com um vestido verde por baixo.

Aí ela meio que sentou de ladinho na cadeira da mesa ali do quarto e começou a sacudir o pé pra cima e pra baixo. Cruzou as pernas e começou a sacudir o pezinho pra cima e pra baixo. Ela era bem nervosa, pra uma prostituta. Era mesmo. Acho que era por ser novinha pra diabo. Tinha mais ou menos a minha idade. Eu sentei na poltrona, do lado dela, e ofereci um cigarro. "Eu não fumo", ela disse. Tinha uma vozinha baixa e bem agudinha. Mal dava pra ouvir. Ela nunca dizia obrigada, também, quando você oferecia alguma coisa. Ela simplesmente não fazia ideia que tinha que agradecer.

"Eu gostaria de me apresentar. Meu nome é Jim Steele", eu disse.

"Cê tem relógio?", ela disse. Ela mal queria saber o diabo do meu nome, lógico. "Mas, ó, quantos anos que cê tem, afinal?"

"Eu? Vinte e dois."

"Nem aqui nem na China."

Era uma coisa engraçada de dizer. Parecia uma criança de verdade. Era de você pensar que uma prostituta e tal fosse dizer "Nem a pau" ou "Para com essa merda" em vez de "Nem aqui nem na China".

"Que idade *você* tem?", eu perguntei.

"Já tenho idade pra ter juízo", ela disse. Ela era espirituosa de verdade. "Cê tem relógio?", ela me perguntou de novo, e aí ela levantou e tirou o vestido pela cabeça.

Certamente que foi bem estranho quando ela fez aquilo. Quer dizer, ela tirou tão *de repente* e tal. Eu sei que em teoria é pra você ficar todo sexual quando alguém levanta e tira o vestido pela cabeça, mas eu não fiquei. Sexual era meio que a *última* coisa que eu estava. Eu estava bem mais deprimido que sexual.

"Ô, cê tem relógio aí?"

"Não. Não tenho não", eu disse. *Rapaz*, como eu estava me sentindo estranho. "Como é que você se chama?", eu perguntei. Ela estava só com uma combinação cor-de-rosa. Era constrangedor demais. Era mesmo.

"Sunny", ela disse. "Ô, vamos com isso aí."

"Você não quer dar uma conversadinha antes?", eu perguntei. Era uma coisa infantil pra se dizer, mas eu estava me sentindo estranho pra diabo. "Você está com muita pressa?"

Ela me olhou como se eu fosse demente. "E de que diabo cê quer falar?", ela disse.

"Sei lá. Nada especial. Eu só achei que talvez você quisesse conversar um pouquinho."

Ela sentou de novo na cadeira da mesa. Mas não estava gostando, dava pra você ver. Começou a sacudir o pezinho de novo — rapaz, que menina nervosa.

"Quer um cigarro agora?", eu disse. Esqueci que ela não fumava.

"Eu não fumo. Escuta, se cê quer conversar, *manda* brasa. Eu tenho mais o que fazer."

Só que eu não conseguia pensar em assunto nenhum. Pensei em perguntar como ela virou prostituta e tal, mas fiquei com medo de perguntar. Ela provavelmente não ia me dizer mesmo.

"Você não é de Nova York, não é verdade?", eu acabei dizendo. Foi a única coisa que eu consegui pensar.

"Hollywood", ela disse. Aí ela levantou e foi até onde tinha deixado o vestido, na cama. "Cê tem um cabide? Não quero deixar o vestido todo amarrotado. Está limpinho."

"Claro", eu disse de cara. Fiquei foi feliz de levantar e fazer alguma coisa. Levei o vestido pro armário e pendurei pra ela. Foi engraçado. Pendurar o vestido me deixou meio triste. Pensei nela entrando numa loja pra comprar o vestido, sem ninguém na loja saber que ela era prostituta e tal.

O vendedor provavelmente pensou só que ela era uma menina normal quando ela comprou. Aquilo me deixou triste pra diabo — não sei bem por quê.

Eu sentei de novo e tentei levar aquela conversa adiante. Ela era muito ruim de papo. "Você trabalha toda noite?", eu perguntei — soou meio horroroso, depois que eu disse.

"Trabalho." Ela estava andando pelo quarto. Pegou o cardápio da mesa e leu.

"O que é que você faz durante o dia?"

Ela meio que deu de ombros. Era bem magrinha. "Durmo. Vou ver um filme." Ela largou o cardápio e olhou pra mim. "Ô, vamos com isso. Eu não tenho a —"

"Olha", eu disse. "Eu não estou muito bem hoje. Eu tive uma noite pesada. Juro por Deus. Eu te pago e tal, mas você se incomoda muito se a gente não for até o fim? Você se incomoda muito?" O problema era que eu simplesmente não queria. Eu estava mais deprimido que excitado, se você quer saber a verdade. *Ela* era deprimente. Com aquele vestido verde pendurado no armário e tal. Fora que eu acho que *nunca* ia conseguir ir com alguém que fica sentada o dia inteiro num cinema idiota. Acho que não ia mesmo.

Ela chegou mais perto, com uma cara esquisita, como se não estivesse acreditando em mim. "Que que foi?", ela disse.

"Não foi nada." Rapaz, como eu estava ficando nervoso. "O negócio é que eu fiz uma cirurgia tem pouco tempo."

"É? Onde?"

"No negócio ali — no clavicórdio."

"Ah, é? Onde que fica essa merda?"

"O clavicórdio?", eu disse. "Bom, na verdade fica no canal espinhal. Quer dizer, é bem lá no fundo do canal espinhal."

"Ah, é?", ela disse. "Aí é duro." Então ela sentou na desgraça do meu colo. "Você é bonitinho."

Ela me deixou tão nervoso que eu só fui mentindo mais. "Eu ainda estou me recuperando", eu disse.

"Você parece um sujeito do cinema. Sabe. Aquele lá. *Você* sabe quem. Como que ele chama, diacho?"

"Não sei", eu disse. Ela não saía da desgraça do meu colo.

"Claro que sabe. Ele tava naquela fita com o Mel-vine Douglas? O tipo que era o irmão do Mel-vine Douglas? O que cai do barco? *Você* sabe quem que é."

"Não sei não. Eu tento evitar ao máximo ir no cinema."

Aí ela foi ficando esquisita. Bruta e tal.

"Você se incomoda de parar com tudo?", eu disse. "Eu não estou no clima, que nem eu te disse. Eu acabei de me operar."

Ela não levantou do meu colo nem nada, mas me deu uma olhada terrível. "Escuta aqui", ela disse. "Eu estava dormindo quando o doido do Maurice me acordou. Se você acha que eu vou —"

"Eu *disse* que te pagava por ter vindo e tal. E pago mesmo. Eu estou cheio de grana. É só que eu mal me recuperei de uma cirurgia muito —"

"Mas por que diacho você foi dizer pro Maurice que queria uma *menina*, então? Se você acabou de operar a desgraça do tal do negócio. *Hein?*"

"Eu achei que ia estar bem melhor. Eu fui um bocado prematuro nos meus cálculos. Sem brincadeira. Desculpa. Se você puder se levantar só um segundinho pra eu pegar a carteira. Sério."

Ela estava putíssima, mas levantou da desgraça do meu colo pra eu poder ir pegar a carteira na cômoda. Eu tirei uma nota de cinco dólares e passei pra ela. "Muito obrigado", eu disse. "Muitíssimo obrigado."

"Aqui tem cinco. Custa dez."

Ela estava ficando esquisita, dava pra você ver. Eu estava com medo que uma coisa dessas acontecesse — estava mesmo.

“O Maurice disse cinco”, eu falei. “Ele disse quinze até meio-dia e só cinco por uminha.”

“Dez por uminha.”

“Ele disse cinco. Sinto muito — sinto mesmo —, mas eu só vou pagar é isso aí.”

Ela meio que deu de ombros, como tinha feito antes, e aí disse, bem fria, “Você se incomoda de me alcançar o meu vestido? Ou é incômodo demais?”. Era uma menina bem medonha. Mesmo com aquela vozinha fininha, ela conseguia te meter um certo medo. Se fosse uma prostitutona velha, com um monte de maquiagem na cara e tal, não ia nem de longe ser tão assustadora.

Eu fui pegar o vestido pra ela. Ela vestiu e tal, e aí pegou o sobretudo de lã de camelo na cama. “Adeusinho, muquirana”, ela disse.

“Adeusinho”, eu disse. Eu não agradeci nem nada. E que bom que não agradeci.

14

Depois que a nossa amiga Sunny foi embora, eu fiquei um tempo sentado na cadeira e fumei uns cigarros. Estava ficando claro lá fora. Rapaz, eu estava no fundo do poço. Estava tão deprimido que você nem consegue imaginar. O que eu fiz foi que eu comecei a conversar, meio que em voz alta, com o Allie. Eu faço isso às vezes quando fico muito deprimido. Fico dizendo pra ele ir pra casa pegar a bicicleta e ir me encontrar na frente da casa do Bobby Fallon. O Bobby Fallon morava perto da gente lá no Maine — quer dizer, anos atrás. Enfim, o que aconteceu foi que um dia eu e o Bobby, a gente estava indo até o lago Sedebego de bicicleta. A gente ia levar o almoço e tal, e as nossas espingardinhas de pressão — a gente era criança e tal, e achava que ia dar pra caçar alguma coisa com as espingardinhas. Enfim, o Allie ouviu a gente falar disso, e quis ir, e eu não deixei. Eu disse que ele era criança. Então de vez em quando, agora, quando eu fico muito deprimido, eu fico dizendo pra ele, "Tá certo. Vai pra casa pegar a tua bicicleta e me encontre na frente da casa do Bobby. Corre". Não era que eu não levasse ele junto quando ia em algum lugar. Mas naquele dia, só naquele dia, eu não levei. Ele não ficou puto — ele nunca ficava puto com nada —, mas eu fico pensando nisso mesmo assim, quando fico muito deprimido.

Só que finalmente eu tirei a roupa e fui pra cama. Me deu uma vontade de rezar ou sei lá o quê, quando eu deitei na cama, mas não consegui. Eu nem sempre consigo rezar quando me dá vontade. Pra começo de conversa, eu sou meio ateu. Eu gosto de Jesus e tal, mas o resto da Bíblia não me interessa muito. Veja lá os Apóstolos, por exemplo. Eles me deixam de saco cheiíssimo, se você quer saber a verdade. Eles ficaram legais depois que Jesus morreu e tal, mas enquanto Ele estava vivo, os caras eram mais inúteis que cinzeiro em motocicleta. Eles viviam era decepcionando Ele. Eu prefiro praticamente qualquer outra pessoa da Bíblia do que os Apóstolos. Se você quer saber a verdade, o cara que eu mais gosto na Bíblia, depois de Jesus, era aquele bem doido, que andava pelos sepulcros e ficava se ferindo com umas pedras. Eu gosto dele dez vezes mais que dos Apóstolos, coitado do filho da puta. Eu vivia discutindo por causa disso, quando estava na Whooton School, com um fulano que morava num quarto perto do meu, o Arthur Childs. O nosso amigo Childs era quacre e tal, e vivia lendo a Bíblia. Era um carinha bem bacana, e eu gostava dele, mas a gente nunca se acertou em muita coisa da Bíblia, especialmente os Apóstolos. Ele ficava me dizendo que se eu não gostava dos Apóstolos, então não gostava de Jesus e tal. Ele dizia que como Jesus *escolheu* os Apóstolos, você tinha que gostar dos caras. Eu dizia que sabia que Ele tinha escolhido, mas que escolheu meio *na louca*. Eu dizia que Ele não teve tempo de sair analisando todo mundo. Dizia que não estava culpando Jesus nem nada. Não era culpa d'Ele, não ter tido tempo. Lembro que eu perguntei pro nosso amigo Childs se ele achava que Judas, aquele que traiu Jesus e tal, foi pro inferno depois de cometer suicídio. O Childs disse que certamente. Era exatamente aí que eu discordava dele. Eu dizia que apostava mil pratas que Jesus não mandou o nosso amigo Judas pro inferno. E ainda apostaria, se tivesse mil pratas. Acho que qualquer um dos A*pós*tolos teria mandado o cara pro inferno e tal — e rapidinho, também —, mas aposto qualquer coisa que Jesus não mandou. O nosso amigo Childs dizia que o meu problema era que eu não ia na missa nem nada. Ele estava certo nisso, até. Porque eu não vou. Pra começo de conversa, os meus pais são de religiões diferentes, e todos os filhos deles são ateus. Se você quer saber a verdade, eu nem suporto pastor. Os pastores que eu tive em tudo quanto é escola onde eu estudei, eles sempre têm aquela voz de Zé da Igreja quando começam a dar sermão. Meu Deus, como eu odeio aquilo. Não sei por que diabos os caras não podem falar com a voz normal deles. Soa tão fajuto quando eles falam.

Enfim, quando eu deitei, não consegui rezar necas. Cada vez que começava, eu ficava vendo a nossa amiga Sunny me chamar de muquirana. Acabou que eu sentei na cama e fumei mais um cigarro. O gosto estava um nojo. Eu devo ter fumado uns dois maços desde que saí da Pencey.

Do nada, enquanto eu estava ali deitado fumando, alguém bateu na porta. Fiquei torcendo pra não ser na *minha* porta que estavam batendo, mas sabia mais do que bem que era sim. Não sei *como* eu sabia, mas sabia. Eu também sabia *quem* era. Eu sou médium.

"Quem é?", eu perguntei. Eu estava bem assustado. Eu sou muito frouxo nessas coisas.

Mas só bateram de novo, mais forte. Mais alto.

Finalmente eu levantei da cama, só de pijama, e abri a porta. Não precisei nem acender a luz do quarto, porque o dia já estava claro. A nossa amiga Sunny e o Maurice, o ascensorista cafetão, estavam ali parados.

"Que que foi? Cês querem o quê?", eu disse. Rapaz, a minha voz estava tremendo que era o cão.

"Nada de mais", o nosso amigo Maurice disse. "Só cinco mangos." Ele que falava pelos dois. A nossa amiga Sunny só ficava ali do lado dele, de boca aberta e tal.

"Eu já paguei pra ela. Dei cincão pra ela. Pode perguntar", eu disse. Rapaz, o que a minha voz estava tremendo.

"São dez mangos, chefia. Eu te disse pra você. Dez mangos uminha, quinze até meio-dia. Eu te disse pra você."

"Você não me disse isso. Você disse *cinco* mangos por uminha. Você disse quinze mangos até meio-dia sim, mas eu ouvi nitidamente você —"

"Abre aí, chefia."

"Pra *quê*?", eu disse. Meu Deus, o nosso amigo coração aqui estava quase me fazendo sair correndo do quarto. Se pelo menos eu estivesse *vestido*. É um horror estar só de pijama quando uma coisa dessas acontece.

"Vamos com isso, chefia", o nosso amigo Maurice disse. Aí ele me deu um bruta empurrão com aquela mão asquerosa. Eu quase que caio de bunda — ele era um tremendo merdinha. Quando eu vi, ele e a nossa amiga Sunny já estavam no quarto. Parecia que eles eram os donos ali. A nossa amiga Sunny sentou no parapeito da janela. O nosso amigo Maurice sentou na poltrona e afrouxou o colarinho e tal — ele estava com o uniforme de ascensorista. *Rapaz*, como eu estava nervoso.

"Então tá, chefia, pode ir abrindo a carteira. Eu tenho que voltar pro meu trabalho."

"Eu já te disse umas dez vezes, eu não te devo um tostão. Eu já dei os cincão pra ela —"

"Para com essa merda, agora. Pode ir abrindo a carteira."

"Por que é que eu ia dar mais cincão pra ela?", eu disse. A minha voz estava pra lá de rachada. "Vocês estão tentando me passar a perna."

O nosso amigo Maurice abriu todo o casaco do uniforme. Por baixo ele só tinha um colarinho fajuto, não tinha camisa nem nada. Ele tinha uma barrigona gorda e cabeluda. "Ninguém tá tentando passar a perna em ninguém", ele disse. "Vai abrindo a carteira, chefia."

"*Não.*"

Quando eu disse isso, ele levantou da poltrona e começou a vir na minha direção e tal. Ele parecia uma pessoa muito, mas muito cansada, ou muito, mas muito de saco cheio. Meu Deus, como eu estava com medo. Eu estava meio de braços cruzados, eu lembro. Não ia ter sido tão ruim, acho que não, se eu não estivesse só com a droga do *pijama*.

"Vai abrindo a carteira, chefia." Ele chegou bem onde eu estava. Era a única coisa que ele sabia dizer. "Vai abrindo a carteira, chefia." Ele era uma besta completa.

"*Não.*"

"Chefia, você vai me forçar a te dar uma dura, de leve. Eu não estou querendo, mas está dando pinta que vai ser assim", ele disse. "Você está devendo cincão pra gente."

"Eu *não* estou te devendo cincão", eu disse. "Se você me der uma dura, eu vou aprontar um berreiro dos infernos. Vou acordar o hotel inteiro. A polícia e tal." A minha voz estava tremendo feito uma filha da puta.

"Manda brasa. Berra aí o quanto você quiser. Está lindo", o nosso amigo Maurice disse. "Quer que os teus pais saibam que você passou a noite com uma puta? Um rapaz fino que nem você?" Ele era bem esperto. Asqueroso, mas esperto. Era mesmo.

"Me deixa em paz. Se você tivesse *dito* dez, ia ser diferente. Mas você nitidamente —"

"Cê não vai abrir essa carteira?" Ele tinha me colocado contra a desgraça da porta. Estava quase em cima de mim, barrigona peluda asquerosa e tal.

"Me deixa em paz. Sai do diabo do meu quarto", eu disse. Eu ainda estava de braços cruzados e tal. Meu Deus, como eu fui panaca.

Aí a Sunny abriu a boca pela primeira vez. "Ô Maurice. Quer que eu pegue a grana?", ela disse. "Tá ali naquele negocinho."

"É, pega lá."

"Deixa a minha carteira aí!"

"Já peguei", a Sunny disse. Ela sacudiu cinco mangos na minha frente. "Tá vendo? Só tô pegando é os cincão que cê me deve. Eu não sou pilantra."

Do nada, eu comecei a chorar. Dava tudo pra não ter chorado, mas chorei. "Não, vocês não são pilantras", eu disse. "Vocês só estão roubando cinco —"

"Cala a boca", o nosso amigo Maurice disse, e me deu um tranco.

"Deixa ele em paz, ô", a Sunny disse. "Anda, vai. A gente já pegou a grana que ele tava devendo. Vamos. Anda, vai."

"Tô indo", o nosso amigo Maurice disse. Mas não foi.

"Sério, Maurice, ô. Deixa ele em paz."

"Quem é que tá machucando alguém aqui?", ele disse, inocente pra diabo. Aí o que ele fez foi que ele deu um peteleco bem forte no meu pijama. Eu não vou te dizer *onde* foi que ele deu o peteleco, mas doeu pra diabo. Eu disse que ele era uma desgraça de uma besta sebosa. "Como é que é?", ele disse. Ele pôs a mão atrás da orelha, que nem surdo. "Como é que é? Eu sou o quê?"

Eu ainda estava meio que chorando. Estava tão puto e tão nervoso e tal. "Você é uma besta sebosa", eu disse. "Você é uma besta idiota que fica passando a perna nos outros, e daqui a uns dois anos você vai ser um daqueles magrelos que vêm na rua te pedir um trocado pra um café. Você vai estar com um macacão nojento de sujo, todo coberto de ranho, e vai —"

Aí ele me bateu. Eu nem tentei sair da frente ou me esquivar e tal. Só senti uma pancada horrorosa no estômago.

Só que não me nocauteou nem nada assim, porque eu lembro de olhar lá do chão e ver os dois saírem e fecharem a porta. Aí eu fiquei no chão um tempinho, mais ou menos que nem eu fiz com o Stradlater. Só que dessa vez eu achei que estava morrendo. Achei mesmo. Eu achei que estava me afogando ou sei lá o quê. O problema era que eu mal conseguia respirar. Quando finalmente eu levantei, tive que ir até o banheiro todo dobrado e segurando a barriga e tal.

Mas eu sou louco. Juro por Deus que eu sou louco. Mais pra metade do caminho até o banheiro, eu meio que comecei a fingir que tinha tomado um tiro na barriga. O nosso amigo Maurice tinha me metido chumbo. Agora eu estava indo até o banheiro pra tomar uma bela dose de bourbon ou sei lá o quê pra firmar a mão e me ajudar a entrar *mesmo* em ação. Eu me imaginei saindo da droga do banheiro, vestido e tal, com a automática no bolso, e andando meio cambaleante por um tempo. Aí eu ia descer de escada, em vez de pegar o elevador. Ia segurar no corrimão e tal, com um sanguinho escorrendo da boca aos poucos. O que eu ia fazer era que eu ia descer uns andares — segurando as tripas, com sangue vazando por tudo — e aí tocar a campainha do elevador. Assim que o Maurice abrisse a porta, ele ia me ver com a automática na mão e ia começar a gritar comigo, com uma voz bem aguda, bem de frouxo mesmo, pra eu deixar ele em paz. Mas eu ia meter chumbo no sujeito mesmo assim. Seis balaços naquela barriga gorda e cabeluda. Aí eu ia jogar a automática no poço do elevador — depois de ter limpado as digitais todinhas e tal. E aí ia me arrastar de volta pro meu quarto e ligar pra Jane e pedir pra ela vir fazer um curativo nas minhas tripas. Imaginei ela segurando um cigarro pra eu fumar enquanto eu sangrava e tal.

A droga do cinema. Esse negócio pode te estragar. Sem brincadeira.

Fiquei coisa de uma hora no banheiro, tomando um banho de banheira e tal. Aí voltei pra cama. Demorou um pouco pra eu pegar no sono — eu nem estava cansado —, mas finalmente eu consegui. Só que a minha vontade mesmo era cometer suicídio. Eu queria era pular da janela. E provavelmente ia ter pulado mesmo, se tivesse certeza que alguém ia me cobrir assim que eu caísse. Eu não queria um bando de gente curiosa idiota olhando pra mim quando eu estivesse todo arrebentado.

15

Eu não dormi demais, porque acho que eram só umas dez horas quando eu acordei. Senti uma fominha assim que fumei um cigarro. A última vez que eu tinha comido foram aqueles dois hambúrgueres com o Brossard e o Ackley quando a gente foi no cinema em Agerstown. Isso fazia muito tempo. Parecia coisa de cinquenta anos atrás. O telefone estava bem do meu lado, e eu fui ligar pra recepção pra pedir pra me mandarem um café da manhã, mas meio que me deu medo que eles mandassem com o nosso amigo Maurice. Se você acha que eu estava morrendo de vontade de ver o camarada de novo, você pirou. Então eu só fiquei à toa na cama um tempo e fumei outro cigarro. Pensei em dar uma ligada pra nossa amiga Jane, pra ver se ela já estava em casa e tal, mas eu não estava a fim.

O que eu fiz mesmo foi que eu dei uma ligada pra nossa amiga Sally Hayes. Ela estava na Mary A. Woodruff, e eu sabia que ela estava em casa porque tinha recebido uma carta dela fazia umas semanas. Eu não era exatamente louco por ela, mas a gente se conhecia fazia anos. Antes eu achava que ela era bem inteligente, do alto da minha idiotice. O motivo de eu achar isso era que ela sabia uma cacetada de coisa de teatro e das peças e de literatura e tal e coisa. Se alguém sabe uma cacetada de coisa sobre isso, você leva um tempinho pra descobrir se a pessoa é ou não é idiota de verdade. Eu levei *anos*, no caso da nossa amiga Sally. Acho que ia ter descoberto bem antes se a gente não tivesse dado tantos malhos. O meu grande problema é que eu sempre meio que penso que a pessoa com quem eu estou dando uns malhos é bem inteligente. Não tem nadíssima a ver com aquilo, mas eu fico pensando mesmo assim.

Enfim, eu dei a tal ligada pra ela. Primeiro a empregada atendeu. Aí o pai. Aí ela estava na linha. "Sally?", eu disse.

"É ela — quem fala?", ela disse. Bem fajutinha. Eu já tinha dito pro pai dela quem era.

"Holden Caulfield. Como é que vai?"

"Holden! Eu estou bem! E você, como vai?"

"Joia. Escuta. Como é que você está, mesmo? Quer dizer, como é que está a escola?"

"Bem", ela disse. "Assim — você sabe."

"Joia. Bom, escuta. Eu estava aqui pensando se você está ocupada hoje. É domingo, mas sempre tem uma ou duas matinês no domingo. Beneficentes e essas coisas. Quer ir?"

"Eu ia adorar. Vai ser distinto."

Distinto. Se tem uma palavra que eu odeio, é "distinto". É tão fajuto. Por um segundo eu me vi tentado a dizer pra ela esquecer a história da matinê. Mas a gente ficou um tempo jogando conversa fora. Quer dizer, ela jogou. Não dava pra você abrir a boca. Primeiro ela me contou de um sujeito de Harvard — era provavelmente um calouro, mas ela não disse, lógico — que estava no pé dela. Ligando *dia e noite*. Dia e noite — aquela me matou. Aí ela me falou de um outro cara, um cadete da West Point, que também queria cortar os pulsos por ela. Grandes porcarias. Eu disse pra ela me encontrar embaixo do relógio do Biltmore às duas, e pra não se atrasar, porque o filme provavelmente começava duas e meia. Ela sempre atrasava. Aí eu desliguei. Ela me enchia o saco, mas era bem linda.

Depois de marcar o encontro com a nossa amiga Sally, eu levantei da cama e me vesti e fiz a mala. Só que eu dei uma olhada pela janela antes de sair do quarto, pra ver como andavam os pervertidos todos, mas estava todo mundo de cortina fechada. De manhã aquilo estava a maior decência. Aí eu desci de elevador e dei uma conferida. Não vi o nosso amigo Maurice em lugar nenhum. Não me matei de procurar, lógico. Filho da puta.

Peguei um táxi na frente do hotel, mas não tinha a menor ideia pra onde eu ia. Eu não tinha aonde ir. Ainda era domingo, e eu só podia ir pra casa na quarta — ou terça, na *melhor* das hipóteses. E certamente que eu não tinha vontade de ir pra outro hotel pra alguém me quebrar a cara. Então o que eu fiz foi que eu disse pro chofer me levar pra Grand Central Station. Era bem pertinho do Biltmore, onde eu ia encontrar a Sally mais tarde, e eu pensei que o que eu ia fazer era que ia deixar as malas num daqueles cofres que eles te dão uma chave, e aí ia comer alguma coisa. Eu estava meio com fome. Enquanto estava no táxi, eu peguei a carteira e meio que contei a minha grana. Não lembro exatamente quanto eu ainda tinha, mas não era nenhuma fortuna nem nada. Eu tinha gastado uma bolada em coisa de duas semaninhas asquerosas. Tinha mesmo. No fundo eu sou uma desgraça de um gastador. O que eu não gasto eu perco. Na maioria das vezes eu meio que até esqueço de pegar o troco, em restaurante e boate e tal. Os meus pais ficam doidos. E nem dá pra reclamar. Só que o meu pai é bem rico. Não sei quanto ele ganha — ele nunca discutiu essas coisas comigo —, mas imagino que seja um monte. Ele é advogado empresarial. Esses camaradas tiram uma grana preta. Outro motivo de eu saber que ele é bem de vida é que ele está sempre investindo dinheiro em espetáculos da Broadway. Só que eles sempre fracassam, e a minha mãe fica doida quando ele investe nisso. Ela não está tão bem de saúde assim, desde que o meu irmão Allie morreu. Ela anda bem nervosa. É mais um motivo pra eu odiar o diabo da ideia dela ficar sabendo que eu tomei outro pé.

Depois de pôr as malas num daqueles cofres da estação, eu entrei numa lanchonete pequenininha e tomei o meu café. Foi um café da manhã dos grandes, pra mim — suco de laranja, ovo frito com bacon, torrada e café. Normalmente eu só tomo um suco de laranja. Eu como muito pouco. Pouco mesmo. É por isso que eu sou magrelo desse jeito. Em teoria era pra eu estar numa dieta em que você come um monte de amido e essas merdas, pra ganhar peso e tal, mas eu nunca faço. Quando saio, eu normalmente como só um sanduíche de queijo suíço, e tomo um leite maltado. Não é muito, mas o leite maltado tem uma pancada de vitaminas. H. V. Caulfield. Holden Vitamina Caulfield.

Enquanto eu comia os meus ovos, essas duas freirinhas de mala e cuia — eu imaginei que elas deviam estar se mudando pra outro convento ou sei lá o quê e estavam esperando um trem — entraram e sentaram do meu lado no balcão. Parecia que elas não sabiam o que fazer com o diabo das malas, então eu dei uma mão. Eram umas malinhas que pareciam bem baratas — daquelas que nem são de couro de verdade e tal. Não é importante, eu sei, mas eu odeio quando alguém tem dessas malas baratas. É uma coisa terrível de dizer, mas eu consigo até odiar uma pessoa, só de *olhar*, se ela estiver com uma mala barata. Uma vez aconteceu um negócio. Por um tempo, quando eu estava na Elkton Hills, eu dividi quarto com um sujeito, o Dick Slagle, que tinha essas malas bem baratinhas. Ele deixava as malas embaixo da cama, em vez de colocar em cima do armário, pra ninguém poder ver as dele do lado das minhas. Aquilo me deprimia pra diabo, e eu ficava a fim de jogar as minhas fora ou sei lá o quê, ou até de *trocar* com ele. As minhas eram da Mark Cross, e eram couro legítimo de vaca e essa merda toda, e acho que custaram uma bela grana. Mas foi engraçado. Olha o que aconteceu. O que eu fiz foi que eu finalmente pus as *minhas* malas embaixo da *minha* cama, em vez de deixar em cima do armário, pro nosso amigo Slagle não ficar com aquela desgraça de complexo de inferioridade por causa disso. Mas olha o que ele fez. No dia seguinte, depois de eu colocar as minhas embaixo da cama, ele tirou de novo e pôs de volta em cima do armário. O motivo dele ter feito isso, eu levei um tempinho pra entender, foi que ele queria que as pessoas pensassem que as minhas malas eram dele. Queria mesmo. Ele era um sujeitinho bem engraçado, lá do jeito dele. Vivia dizendo umas coisas ranhetas sobre elas, as malas, por exemplo. Ficava dizendo que elas eram novas e burguesas demais. Era a droga da palavra preferida dele. Ele leu em algum lugar ou escutou em algum lugar. Tudo que eu tinha era burguês pra diabo. Até a minha caneta-tinteiro era burguesa. Ele vivia pedindo emprestada, mas ainda assim era burguesa. A gente só ficou dois meses no mesmo quarto. Aí nós dois pedimos pra trocar. E o negócio engraçado foi que eu meio que fiquei com saudade dele depois que a gente trocou, porque ele tinha um puta senso de humor e a gente se divertia pacas às vezes. Eu nem ia achar estranho se ele também tivesse saudade de mim. Primeiro era só de brincadeira, quando ele chamava as minhas coisas de burguesas, e eu estava pouco me lixando — até que *era* engraçado, na verdade. Aí depois de um tempo dava pra você ver que ele não estava mais de brincadeira. O negócio é que é bem difícil dividir quarto com alguém se as tuas malas são muito melhores que as do outro — se as tuas são *boas* pacas e as dele não. Você acha que se ele é inteligente e tal, o outro cara, e tem um bom senso de humor, ele está pouco se lixando pra saber qual mala que é melhor, mas não. Não mesmo. É um dos motivos de eu ter dividido quarto com um idiota filho de uma puta que nem o Stradlater. Pelo menos as malas dele eram tão boas quanto as minhas.

Enfim, as duas freirinhas estavam sentadas do meu lado, e a gente meio que começou a conversar. A que estava mais perto de mim tinha uma daquelas cestas de palha que você vê as freiras e as mocinhas do Exército da Salvação usando pra pedir dinheiro perto da época do Natal. Você vê esse pessoal parado nas esquinas, especialmente na Quinta Avenida, na frente das grandes lojas de departamentos e tal. Enfim, a que estava do meu lado derrubou a dela no chão e eu me abaixei e peguei pra ela. Perguntei se ela estava arrecadando dinheiro pra caridade e tal. Ela disse que não. Disse que não conseguiu colocar a cesta na mala na hora de sair e que simplesmente estava carregando na mão. Tinha um sorriso bem simpático quando olhava pra você. Tinha um narigão, e aqueles óculos com uns aros meio assim de ferro que não são tão atraentes, mas tinha uma cara boazinha pra diabo. "Eu pensei que se vocês estivessem arrecadando dinheiro", eu disse, "eu podia fazer uma pequena contribuição. Vocês podem guardar o dinheiro pra quando forem arrecadar mesmo."

"Ah, bondade sua", ela disse, e a outra, a amiga dela, deu uma olhada pra mim. A outra estava lendo um livrinho preto enquanto tomava o seu café. Parecia uma Bíblia, mas era magrinho demais. Só que era um livro do tipo Bíblia. A única coisa que as duas estavam comendo de café da manhã era torrada com café. Aquilo me deixou deprimido. Odeio quando eu estou comendo ovos com bacon ou sei lá o quê e outra pessoa está comendo só torrada com café.

Elas me deixaram dar dez pratas de contribuição. Elas ficavam me perguntando se eu tinha certeza que podia dar aquilo tudo e tal. Eu disse pra elas que tinha bastante dinheiro, mas elas aparentemente não acreditavam. Só que acabaram pegando a grana. As duas ficaram me agradecendo tanto que deu até vergonha. Eu fiz a conversa mudar pra uns assuntos gerais e perguntei pra onde elas estavam indo. Elas disseram que eram professoras e que tinham acabado de chegar de Chicago e iam começar a dar aula em algum convento lá da rua 168 ou 186, ou uma dessas ruas bem no norte da cidade. A que estava do meu lado, a dos óculos de ferro, disse que dava aula de inglês e que a amiga dava aula de história e de política. Aí eu comecei a pensar, bem que nem o filho da puta que eu sou mesmo, o que será que pensava a do meu lado, que dava aula de inglês, sendo freira e tal, quando lia certos livros pra aula de inglês. Livros não necessariamente com muita coisa sexual, mas livros com amantes e tal. Veja lá a Eustacia Vye, em *O retorno do nativo* do Thomas Hardy. Ela não era sexual demais nem nada, mas mesmo assim você não tem como deixar de imaginar o que uma freira há de pensar quando lê sobre a nossa amiga Eustacia. Só que eu não falei nada, lógico. A única coisa que eu disse era que inglês era a matéria em que eu ia melhor.

"Ah, verdade? Puxa, eu fico feliz!", a dos óculos, que dava aula de inglês, disse. "O que você leu este ano? Eu queria muito saber." Ela era simpática mesmo.

"Bom, a gente quase só falou dos anglo-saxões. *Beowulf*, e o nosso amigo Grendel, e 'Lord Randal My Son', e essas coisas aí. Mas a gente tinha que ler livros a mais pra ganhar pontos de vez em quando. Eu li *O retorno do nativo* do Thomas Hardy e *Romeu e Julieta* e o *Júlio* —"

"Ah, *Romeu e Julieta*! Lindo! E você não adorou a peça?" Ela certamente não soava nadinha que nem uma freira.

"Sim. Gostei sim. Gostei muito mesmo. Teve lá umas coisas que eu não gostei, mas era bem comovente, no geral."

"Do que foi que você não gostou? Será que você lembra?"

Pra te falar a verdade, era meio constrangedor, até, ficar falando de *Romeu e Julieta* ali com ela. Quer dizer, a peça tem uns pedaços bem sexuais, e ela era freira e tal, mas foi ela que me *perguntou*, então eu discuti um pouco a peça com ela. "Bom, eu não morro de amores pelo Romeu e pela Julieta", eu disse. "Quer dizer, eu gosto deles, mas — sei lá. Eles às vezes são bem chatinhos. O que eu estou dizendo é que eu fiquei com muito mais pena quando mataram o nosso amigo Mercúcio do que quando o Romeu e a Julieta morreram. O negócio é que eu não sou tão fã do Romeu depois que o Mercúcio é esfaqueado por aquele outro cara — o primo da Julieta —, como é que ele chama?"

"Teobaldo."

"Isso mesmo. Teobaldo", eu disse — eu sempre esqueço o nome do cara. "Foi culpa do Romeu. Quer dizer, na peça toda ele era o meu preferido, o nosso amigo Mercúcio. Sei lá. Aquele pessoal dos Montéquio e dos Capuleto, eles são bacanas — especialmente a Julieta —, mas o Mercúcio, ele era — é duro de explicar. Ele era bem esperto e divertido e tal. O negócio é que eu fico louco se matam alguém — especialmente alguém bem esperto e divertido e tal — e é culpa de outro. Com o Romeu e a Julieta, pelo menos a culpa era deles mesmos."

"Em que escola você estuda?", ela me perguntou. Ela provavelmente queria sair do tema Romeu e Julieta.

Eu disse que era a Pencey, e ela tinha ouvido falar. Ela disse que era uma escola muito boa. Mas eu deixei por isso mesmo. Aí a outra, a que dava aula de história e de política, disse que era melhor elas irem andando. Eu peguei o papelzinho com a conta delas, mas elas não me deixaram pagar. A de óculos me fez devolver.

"Você já foi mais do que generoso", ela disse. "Você é um menino muito bonzinho." Ela certamente era simpática. Ela me lembrava um pouco a mãe do nosso amigo Ernest Morrow, aquela que eu encontrei no trem. Quando sorria, acima de tudo. "Foi um *grande* prazer para nós, conversar com você", ela disse.

Eu disse que pra mim também tinha sido. E era verdade mesmo. Só que eu ia ter gostado mais ainda, acho, se não tivesse sentido meio que um medo, o tempo todo que eu fiquei falando com elas, que do nada elas tentassem descobrir se eu era católico. Os católicos vivem tentando descobrir se você é católico. Acontece muito comigo, eu sei, em alguma medida porque o meu sobrenome é irlandês, e quase todo mundo de família irlandesa é católico. A bem da verdade, o meu pai até já *foi* católico. Só que ele deixou de ser quando casou com a minha mãe. Mas os católicos vivem tentando descobrir se você é católico mesmo quando não sabem o teu sobrenome. Eu conheci um carinha católico, o Louis Shaney, quando eu estava na Whooton School. Foi o primeiro menino que eu conheci lá. Eu e ele, a gente estava sentado nas primeiras duas cadeiras na frente da droga da enfermaria, no dia que a escola abriu, esperando o nosso exame médico, e a gente meio que começou a conversar sobre tênis. Ele se interessava bastante por tênis, e eu também. Ele me contou que ia ver o campeonato nacional em Forest Hills todo ano, no verão, e eu contei pra ele que também ia, e aí a gente falou de certos tenistas mais figurões por um belo tempo. Ele sabia bastante coisa de tênis, pra um menino da idade dele. Sabia mesmo. Aí, depois de um tempo, bem no meio da droga da conversa, ele me perguntou, "Será que você por acaso notou onde que fica a igreja católica aqui da cidade?". O negócio era que dava pra você ver pelo jeito dele fazer a pergunta que ele estava tentando descobrir se eu era católico. Estava mesmo. Não que ele tivesse preconceito nem nada, mas só queria saber. Ele estava gostando da conversa sobre tênis e tal, mas dava pra você ver que ele ia ter gostado *mais* se eu fosse católico e tal. Esse tipo de coisa me deixa maluco. Não estou dizendo que estragou a nossa conversa nem nada — não estragou —, mas certamente que também não ajudou, diabo. É por isso que eu estava contente que as duas freirinhas não me perguntaram se eu era católico. Não ia ter *estragado* a conversa se elas tivessem perguntado, mas não ia ter sido igual, provavelmente. Eu não estou dizendo que a *culpa* é dos católicos. Não estou. Ia ser a mesma coisa, provavelmente, se eu fosse católico. É bem igual a história daquelas malas que eu estava te contando, até. Eu só estou dizendo é que não faz bem pra uma conversa bacana. Só estou dizendo isso.

Quando elas levantaram pra ir embora, as duas freiras, eu fiz uma coisa muito idiota e muito constrangedora. Eu estava fumando um cigarro, e quando levantei pra dar tchau pra elas, por engano eu soprei fumaça na cara das duas. Foi sem querer, mas soprei. Eu pedi desculpas feito um demente, e elas foram educadíssimas e coisa e tal, mas foi bem constrangedor mesmo assim.

Depois que elas foram embora, eu comecei a ficar com pena de só ter dado dez pratas pra campanha delas. Mas o negócio é que eu tinha marcado de ir numa matinê com a nossa amiga Sally Hayes, e precisava guardar um dinheiro pros ingressos e coisa e tal. Só que eu fiquei com pena mesmo assim. Desgraça de dinheiro. Sempre acaba te deixando triste pra diabo.

16

Depois de eu ter tomado o meu café, ainda era só coisa de meio-dia, e eu só ia encontrar a nossa amiga Sally às duas, então comecei a dar uma longa volta a pé. Eu não conseguia parar de pensar naquelas duas freiras. Ficava pensando naquela cestinha batida de palha que elas usavam pra sair arrecadando dinheiro quando não estavam dando aula. Ficava tentando imaginar a minha mãe ou outra pessoa, ou a minha tia, ou a louca da mãe da Sally Hayes, parada na frente de alguma loja de departamentos e arrecadando grana pros pobres com uma cestinha de palha velha e batida. Era duro de imaginar. Não tanto a minha mãe, mas as outras duas. A minha tia é bem caridosa — ela faz um monte de coisas pra Cruz Vermelha e tal —, mas ela se veste bem à beça e tal, e quando faz alguma coisa de caridade ela vai sempre bem-vestida à beça e passa batom e essa merda toda. Eu não conseguia imaginar que ela fosse fazer alguma coisa de caridade se tivesse que usar roupa preta e ir sem batom. E a nossa amiga mãe da Sally Hayes. Jesus amado. O único jeito *dela* sair com uma cestinha arrecadando grana ia ser se todo mundo ficasse lambendo as botas dela na hora de fazer uma doação. Se só largassem o dinheiro na cestinha, e aí fossem embora sem dizer nada pra ela, ali ignorada e tal, ela ia largar aquilo em coisa de uma hora. Ia ficar de saco cheio. Ia entregar a cestinha e se mandar pra almoçar em algum lugar grã-fino. Foi isso que eu gostei naquelas freiras. Dava pra você ver, pra começo de conversa, que elas nunca iam almoçar num lugar grã-fino. Eu fiquei tão triste de pensar nisso, delas nunca irem num lugar grã-fino pra almoçar nem nada. Eu sabia que não era uma coisa tão importante, mas me deixou triste mesmo assim.

Fui indo na direção da Broadway, só de farra, porque fazia anos que eu não passava por lá. Fora que eu queria achar uma loja de discos que abrisse no domingo. Tinha um disco que eu queria comprar pra Phoebe, chamado *Little Shirley Beans*. Era um disco bem difícil de achar. Era sobre uma menininha que não queria sair de casa porque tinha perdido dois dentes da frente e estava com vergonha. Eu ouvi lá na Pencey. Um menino que morava no outro andar tinha o disco, e eu tentei comprar dele porque sabia que aquilo ia derrubar a nossa amiga Phoebe, mas ele não quis vender. Era um disco velho pacas, sensacional, que uma cantora negra, Estelle Fletcher, gravou tem uns vinte anos. Ela canta de um jeito todo caipira e gafieira, e não fica nem um pouquinho meloso. Se uma menina branca estivesse cantando, ia fazer aquilo soar pra lá de *fofo*, mas a nossa amiga Estelle Fletcher sabia bem pra diabo o que estava fazendo, e era um dos melhores discos que eu ouvi na vida. Eu pensei que podia comprar em alguma loja que fosse abrir no domingo e aí levar pro parque. Era domingo e a Phoebe quase sempre vai andar de patins no parque nos domingos. Eu sabia onde ela costumava patinar.

Não estava tão frio quanto no dia anterior, mas o sol ainda não tinha aparecido, e não estava muito bom pra andar. Mas tinha uma coisa boa. Uma família que dava pra você ver que tinha acabado de sair de alguma igreja ia andando bem na minha frente — um pai, uma mãe e uma criancinha dos seus seis anos de idade. Eles pareciam meio pobres. O pai estava com um daqueles chapéus cinza-pérola que os pobres usam direto quando querem ficar elegantes. Ele e a mulher iam só andandinho, conversando, sem prestar atenção no filho. O menino era joia. Ele estava andando na rua, em vez de andar na calçada, mas bem grudado no meio-fio. Ia fazendo como se estivesse andando numa linha bem reta, que nem as crianças fazem, e ficava o tempo todo cantando e murmurando. Eu cheguei mais perto pra poder ouvir o que ele estava cantando. Era aquela música, "Se alguém apanha alguém que vem pelo campo de centeio". E ele tinha uma vozinha bonita também. Estava cantando só de farra, dava pra você ver. Os carros passavam a toda, tinha barulho de freio pra tudo quanto é lado, os pais não prestavam atenção no menino, e ele continuava andandinho perto do meio-fio e cantando "Se alguém apanha alguém que vem pelo campo de centeio". Aquilo me deixou melhor. Eu não fiquei mais tão deprimido.

A Broadway estava entupida de gente, uma zona. Era domingo, e nem passava de meio-dia, mas lá estava entupido mesmo assim. Todo mundo estava a caminho dos cinemas — o Paramount ou o Astor ou o Strand ou o Capitol ou um desses lugares doidos. Todo mundo empetecado, porque era domingo, e isso só piorava tudo. Mas a pior parte era que dava pra você ver que todo mundo ali *queria* ir ao cinema. Eu não suportava nem olhar aquelas pessoas. Eu posso entender que alguém vá ao cinema porque não tem mais nada pra fazer, mas quando alguém *quer* mesmo ir, e até anda rápido pra chegar logo, aí eu fico deprimido pra diabo. Especialmente se vejo milhões de pessoas numa daquelas filas compridas horrorosas, que vão pela quadra inteira, esperando com uma paciência sensacional pra pegar uma poltrona e tal. Rapaz, eu queria era sair logo da desgraça daquela Broadway. Eu dei sorte. A primeira loja de discos onde eu entrei tinha uma cópia de *Little Shirley Beans*. Eles me cobraram cinco pratas, porque era tão difícil de encontrar o tal do disco, mas eu nem liguei. Rapaz, aquilo me deixou tão feliz, do nada. Eu mal podia esperar pra chegar até o parque e ver se a nossa amiga Phoebe estava por lá pra eu poder dar o disco pra ela.

Quando saí da loja de discos, eu passei por uma venda, e entrei. Pensei que talvez eu desse uma ligadinha pra nossa amiga Jane pra ver se ela já estava de férias em casa. Então entrei numa cabine telefônica e liguei pra ela. O único problema é que foi a mãe dela que atendeu o telefone, aí eu tive que desligar. Não estava a fim de me meter numa conversa comprida com ela e tal. Eu não morro de amores pela ideia de conversar com as mães das meninas no telefone, mesmo. Só que eu devia pelo *menos* ter perguntado pra ela se a Jane já estava em casa. Eu não ia ter morrido se perguntasse. Mas eu não estava a fim. Você tem que estar muito no clima pra esse tipo de coisa.

Mas eu ainda tinha que comprar a merda daqueles ingressos pro teatro, então comprei um jornal e dei uma conferida nas peças. Porque era domingo, tinha só umas três peças. Então o que eu fiz foi que eu fui lá e comprei dois ingressos de plateia pra *I Know My Love*. Era um espetáculo beneficente ou sei lá o quê. Eu nem queria muito assistir, mas sabia que a nossa amiga Sally, a rainha da fajutice, ia ficar babando de felicidade quando eu contasse que tinha comprado ingressos pra essa peça, porque tinha os Lunt e tal. Ela gostava dessas peças que em teoria são bem sofisticadas e cínicas e tal, com os Lunt e tal. Eu não. Eu não gosto muito de peça nenhuma, se você quer saber a verdade. Não é tão ruim quanto cinema, mas certamente não é nada que seja grandes maravilhas. Pra começo de conversa, eu odeio atores. Eles nunca parecem gente de verdade. Eles só acham que parecem. Alguns dos melhores parecem, de um jeito bem distante, mas não de um jeito que seja divertido de ficar vendo. E se um ator presta pra alguma coisa, sempre dá pra você ver que ele *sabe* que é bom, e isso já estraga tudo. Você veja lá Sir Laurence Olivier, por exemplo. Eu vi o *Hamlet* com ele. O D.B. levou a Phoebe e eu pra ver, ano passado. Ele primeiro pagou um almoço pra gente, e depois levou no cinema. Ele já tinha visto, e de tanto que ele falou do filme no almoço, eu estava pra lá de ansioso pra ver também. Mas não gostei muito. Eu simplesmente não vejo o que tem de tão genial no Sir Laurence Olivier, e pronto. Ele tem uma voz sensacional, e é um sujeito pra lá de bonitão, e é bem legal ficar olhando enquanto ele anda ou duela ou sei lá o quê, mas ele não tinha nada a ver com o que o D.B. disse que o Hamlet era. Ele parecia demais a desgraça de um general, em vez de um camarada tristonho e todo ferrado. A melhor parte do filme inteiro foi quando o nosso amigo irmão da Ofélia — aquele que entra no duelo com o Hamlet bem já no finzinho — estava indo embora e o pai dele ficou dando um monte de conselho. Enquanto o pai ficava dando um monte de conselho pra ele, a nossa amiga Ofélia ficava de bobeira com o irmão, tirando a adaga dele da bainha, e provocando o sujeito e tal enquanto ele tentava fazer cara de interessado na porcariada que o pai dele ia mandando. Aquilo foi bacana. Eu me diverti horrores com aquilo. Mas você não vê muito esse tipo de coisa. A única coisa que a nossa amiga Phoebe gostou foi quando o Hamlet deu uns tapinhas na cabeça do cachorro. Ela achou aquilo engraçado e simpático, e foi mesmo. O que eu vou ter que fazer é ler a tal da peça. O problema comigo é que eu sempre tenho que ler as coisas sozinho. Se tem um ator em cena, eu mal escuto. Fico com medo que ele acabe fazendo alguma coisa fajuta, o tempo todo.

Depois de comprar as entradas pra peça dos Lunt, eu peguei um táxi até o parque. Devia ter ido de metrô ou sei lá o quê, porque eu estava começando a ficar mal de grana, mas queria sair o quanto antes da droga da Broadway.

Estava uma porcaria lá no parque. Não estava tão frio, mas o sol ainda não tinha saído, e parecia que no parque só tinha merda de cachorro e umas pelotas de catarro e umas pontas de cigarro dos velhos, e os bancos todos estavam com aquela cara de que iam estar molhados se você sentasse neles. Aquilo te deixava deprimido, e de vez em quando, sem motivo nenhum, você ficava arrepiado enquanto andava por ali. Não parecia na*di*nha que o Natal já estava chegando. Não parecia que coisa nenhuma estava chegando. Mas eu fui andando até o Mall mesmo assim, porque é lá que a Phoebe normalmente fica quando está no parque. Ela gosta de patinar perto do coreto. É engraçado. É o mesmo lugar onde eu patinava quando era pequeno.

Só que quando eu cheguei lá eu não vi a Phoebe em lugar nenhum. Tinha umas crianças por ali, patinando e tal, e dois meninos brincando com uma bola de softball, mas nada da Phoebe. Só que eu vi uma criança mais ou menos da idade dela, sentada sozinha num banco, apertando os patins. Pensei que talvez ela pudesse conhecer a Phoebe e me dizer onde ela estava ou sei lá o quê, então fui lá e sentei do lado dela e perguntei, "Você conhece a Phoebe Caulfield, por acaso?".

"Quem?", ela disse. Ela estava só de calça jeans e com coisa de umas vinte blusas. Dava pra você ver que foi a mãe que fez pra ela, porque as blusas eram caroçudas pra dedéu.

"Phoebe Caulfield. Ela mora na rua 71. Está na quarta série, lá na —"

"Você conhece a Phoebe?"

"Conheço, eu sou irmão dela. Você sabe onde ela está?"

"Ela é da turma da professora Callon, né?", a menininha disse.

"Não sei. É, acho que é sim."

"Ela pro'velmente tá no museu então. *A gente* foi sábado passado", a menininha disse.

"Que museu?", eu perguntei.

Ela deu de ombros, mais ou menos. "Sei lá", ela disse. "O museu."

"Tudo bem, mas o museu dos quadros ou o dos índios?"

"O dos índios."

"Muito obrigado", eu disse. Eu levantei e fui me afastando, mas aí de repente lembrei que era domingo. "Mas é do*min*go", eu disse pra menininha.

Ela olhou pra mim. "Ah. Então ela não foi."

Ela estava sofrendo horrores pra apertar os patins. Não estava de luvas nem nada e já estava com as mãos vermelhas e geladas. Eu dei uma mãozinha pra ela. Rapaz, fazia anos que eu não segurava uma chave de patins. Só que não foi estranho. Você podia pôr uma chave de patins na minha mão daqui a cinquenta anos, no escuro total, e eu ainda ia saber o que era. Ela me agradeceu e tal depois que eu apertei. Era uma menina muito da simpática, educada. Jesus, como eu gosto quando uma criança é simpática e educada depois que você apertou os patins pra ela ou sei lá o quê. Em geral elas são. São mesmo. Perguntei se ela queria tomar um chocolate quente ou sei lá o quê comigo, mas ela disse não, obrigada. Disse que tinha que ir encontrar uma amiga. As crianças sempre têm que encontrar um amigo. Isso me mata.

Mesmo sendo domingo e mesmo que a Phoebe não fosse estar lá com a turma da escola nem nada, e mesmo com a umidade e o dia horroroso lá fora, eu atravessei o parque inteiro até chegar ao Museu de História Natural. Eu sabia que era daquele museu que a menina do patim estava falando. Eu conhecia essa história toda do museu de trás pra frente. A Phoebe estava na mesma escola onde eu estudava quando era pequeno, e a gente ia lá o tempo todo. A gente tinha uma professora, a srta. Aigletinger, que levava a gente lá quase todo sábado. Às vezes a gente olhava os bichos e às vezes as coisas que os índios tinham feito nos tempos antigos. Cerâmica e cestos de palha e essas coisas assim. Eu fico bem feliz quando penso naquilo. Ainda hoje. Lembro que depois que a gente via as coisas dos índios, normalmente a gente ia ver algum filme no auditório grandão. Colombo. Eles viviam passando filme do Colombo descobrindo a América, sofrendo pra diabo pra convencer os nossos amigos Fernando e Isabel a emprestar a grana pra ele comprar os navios, e aí o motim dos marujos e tal. Ninguém dava muita bola pro nosso amigo Colombo, mas você sempre ia com um monte de balas e de chicletes e coisa e tal com você, e dentro daquele auditório ficava um cheirinho tão gostoso. Sempre tinha um cheiro de chuva lá fora, mesmo que não estivesse chovendo, e você ali no único lugar gostoso, sequinho e confortável do mundo inteiro. Eu adorava a desgraça daquele museu. Lembro que você tinha que passar pela Sala dos Índios pra chegar até o auditório. Era uma sala comprida que só, e você tinha que falar sussurrando. A professora ia primeiro, depois os alunos. Era fila dupla, e você ficava de parceiro com alguém. Normalmente eu ficava com uma menina chamada Gertrude Levine. Ela sempre queria segurar a tua mão, e a mão dela estava sempre grudenta ou suada ou sei lá o quê. O piso era todo de pedra, e se você estivesse com bolinhas de gude na mão e derrubasse ali, elas saíam quicando adoidado pelo chão e faziam uma barulheira infernal, e a professora segurava a turma e voltava pra ver o que diabo estava acontecendo. Mas ela nunca ficava puta, a professora Aigletinger. Aí você passava por uma canoa indígena comprida que só, mais ou menos do tamanho de uns três Cadillacs, um na frente do outro, com uns vinte índios lá dentro, uns remando, uns só de pé ali com cara de mau, e todos eles com pintura de guerra na cara toda. Tinha um sujeito pra lá de medonho na parte de trás da canoa, de máscara. Era o curandeiro. Ele me dava arrepios, mas eu gostava do cara mesmo assim. Outra coisa era que se você encostasse num dos remos ou em qualquer coisa enquanto ia passando, um dos guardas te dizia, "Não encostem em nada, crianças", mas sempre com uma voz simpática, não que nem uma droga de um policial nem nada. Aí você passava por uma vitrine grandalhona, com uns índios lá dentro esfregando pauzinho pra fazer fogo, e uma índia tecendo um cobertor. A índia que estava tecendo o cobertor estava meio recurvada, e dava pra ver os peitos dela e tal. A gente sempre dava uma bela de uma espiada, até as meninas, porque elas eram só criancinhas e tinham tanto peito quanto *a gente*. Aí, logo antes de entrar no auditório, bem do ladinho da porta, você passava por um esquimó. Ele estava sentado do lado de um buraco num lago congelado, e ficava ali pescando pelo buraco. Ele tinha uns dois peixes ali do lado, que já tinha fisgado. Rapaz, como tinha vitrine naquele museu. Lá em cima ainda tinha mais, com uns cervos que bebiam água, e uns pássaros que voavam pro sul no inverno. Os pássaros que ficavam mais perto de você eram todos empalhados e pendurados por uns araminhos, e os do fundo estavam só pintados na parede, mas parecia mesmo que eles estavam todos voando pro sul, e se você se abaixasse e meio que olhasse pra eles de cabeça pra baixo, parecia que eles estavam com mais pressa ainda de voar pro sul. Só que a melhor parte, naquele museu, era que tudo sempre ficava direitinho onde estava. Ninguém se mexia. Você podia ir lá cem mil vezes que aquele esquimó ainda ia ter acabado de pegar aqueles dois peixes, os pássaros ainda iam estar a caminho do sul, os cervos ainda iam estar bebendo a sua água, com aquelas galhadas bonitas e aquelas pernas bonitas e magrelas, e aquela índia decotada ainda ia estar tecendo o mesmo cobertor. Nada ia estar diferente. A única coisa que ia estar diferente era *você*. Não que você fosse estar tão mais velho nem nada. Não ia ser isso, exatamente. Você só ia estar diferente, pronto. Dessa vez você ia estar de sobretudo. Ou a menina que ficou com você na fila da outra vez podia ter pegado escarlatina e você ia ficar com outro parceiro. Ou ia ser uma substituta levando a turma, em vez da professora Aigletinger. Ou você ia ter ouvido a tua mãe e o teu pai tendo uma briga terrível no banheiro. Ou ia ter acabado de passar por uma daquelas poças na rua que têm uns arco-íris de gasolina. Quer dizer, você ia estar dife*ren*te de algum jeito — não sei explicar o que eu estou querendo dizer. E mesmo se soubesse, não sei se ia me dar vontade.

Eu tirei do bolso o meu amigo boné de caçador enquanto ia andando, e botei na cabeça. Eu sabia que não ia encontrar alguém que me conhecesse, e estava bem úmido lá fora. Fui andando sem parar, e ia pensando na nossa amiga Phoebe indo naquele museu aos sábados que nem eu fazia. Eu ficava pensando que ela ia ver as mesmas coisas que eu vi, e que a cada vez que visse, *ela ia* estar diferente. Pensar nisso não me deixou exatamente deprimido, mas não me deixou exatamente saltitante de alegria, também. Tem coisas que deviam ficar do jeito que são. Devia dar pra você meter essas coisas numa daquelas vitrinonas e só deixar ali quietinhas. Eu sei que é impossível, mas é triste mesmo assim. Enfim, eu ficava pensando nisso tudo enquanto andava.

Passei por um parquinho e parei pra ficar vendo uns meninos bem pequenininhos numa gangorra. Um deles era meio gorducho, e eu coloquei a mão no lado em que o magrelo estava, meio que pra equilibrar o peso, mas dava pra você ver que eles não me queriam por ali, então eu deixei os dois em paz.

Aí aconteceu um negócio engraçado. Quando eu cheguei no museu, de repente eu não queria entrar ali nem por um milhão. Simplesmente não me deu vontade — e olha que eu tinha atravessado a desgraça do parque inteiro e estava ansioso pra ver e tal. Se a Phoebe estivesse lá, eu provavelmente ia ter entrado, mas ela não estava. Então a única coisa que eu fiz, na frente do museu, foi pegar um táxi e ir pro Biltmore. Eu não estava muito a fim de ir. Só que tinha marcado aquela droga de teatro com a Sally.

17

Eu cheguei lá cedo, então só sentei num daqueles sofás de couro bem pertinho do relógio do saguão e fiquei olhando as meninas. Tinha muita escola que já estava de férias, e tinha coisa de um milhão de meninas sentadas e de pé esperando aparecerem os sujeitos que tinham marcado com elas. Meninas de perna cruzada, meninas sem perna cruzada, meninas com pernas sensacionais, meninas com pernas asquerosas, meninas que pareciam ser meninas supimpas, meninas que pareciam que iam ser umas vacas se você conhecesse. Era uma paisagem bem bacana, se é que você me entende. De certa forma, era meio deprimente também, porque você ficava pensando o que diabos ia *acontecer* com todas elas. Quando elas saíssem da escola e da universidade, quer dizer. Você pensava que a maioria ali provavelmente ia casar com uns bocós. Uns caras que vivem falando de quantos quilômetros a droga do carro deles faz por litro. Uns caras que ficam putos e agem que nem criancinha se você ganha deles no golfe, ou até em algum jogo idiota como pingue-pongue. Uns caras que são malvados demais. Uns caras que nunca leem um livro. Uns caras que são chatos demais — mas eu tenho que ir devagar. Quer dizer, nisso de chamar certos caras de chatos. Eu não entendo esses caras chatos. Não entendo mesmo. Quando estava na Elkton Hills, eu dividi quarto por uns dois meses com um sujeitinho, um tal de Harris Macklin. Ele era bem inteligente e tal, mas era um dos maiores chatos que eu já conheci na vida. Tinha uma vozinha daquelas bem roucas, e nunca parava de falar, praticamente. Ele nunca parava de falar, e o que era um horror era que ele nunca dizia nada que você quisesse ouvir, pra começo de conversa. Mas tinha um negócio que ele sabia fazer. O merdinha sabia assoviar melhor que qualquer pessoa que eu já ouvi na vida. Ele estava lá fazendo a cama, ou pendurando roupa no armário — ele vivia pendurando roupa no armário — aquilo me deixava maluco —, e ficava assoviando enquanto isso, se não ficasse falando com aquela vozinha rouca. Ele sabia até assoviar umas coisas clássicas, mas em geral ele assoviava era jazz. Ele conseguia pegar alguma coisa bem jazz, digamos "Tin Roof Blues", e assoviar de um jeito tão bacana e tão tranquilo — bem ali, pendurando roupa no armário — que aquilo podia te matar. Lógico que eu nunca *falei* que ele era um assoviador sensacional. Quer dizer, não tem como você simplesmente chegar na pessoa e dizer, "Você é um assoviador genial". Mas eu dividi quarto com ele por uns dois meses, mesmo com o cara me dando nos nervos até eu quase ficar maluco, só porque ele assoviava tão bem, o melhor que eu já ouvi na vida. Então eu não sei desse negócio dos chatos. Talvez não seja o caso de você ficar com tanta pena quando vê uma menina supimpa casando com eles. Eles não fazem mal pra ninguém, na maioria, e vai ver que em segredo eles todos assoviam bem pacas ou sei lá o quê. Quem diabos é que vai saber? Eu é que não.

Finalmente a nossa amiga Sally começou a subir a escada, e eu fui descendo pra me encontrar com ela. Ela estava sensacional. Estava mesmo. Estava com um casaco preto e uma coisa que era meio que uma boina preta. Ela quase nunca usava chapéu, mas aquela boina ficou bonita. O engraçado é que me deu vontade de casar com ela na horinha que ela apareceu. Eu sou louco. Eu nem *gostava* tanto dela, e mesmo assim, do nada, pareceu que eu estava apaixonado por ela e queria casar. Juro por Deus que eu sou louco. Isso eu não vou negar.

"Holden!", ela disse. "Que maravilha te ver! Faz *décadas* que eu não te vejo." Ela tinha uma daquelas vozes bem altas, constrangedoras quando você encontrava com ela por aí. Só não era tão terrível porque ela era pra lá de bonita, mas sempre me enchia o saco.

"Que bacana ver *você*", eu disse. E estava falando sério. "Mas como é que você está?"

"Maravilhosa. Cheguei atrasada?"

Eu disse que não, mas ela estava uns dez minutos atrasada, a bem da verdade. Só que eu estava pouco me lixando. Aquela merda toda que eles botam lá nas charges do *Saturday Evening Post* e tal, com os fulanos na esquina com cara de putos pra diabo porque as meninas estão atrasadas — isso é asneira. Se uma menina aparece linda pra te encontrar, quem é que está se lixando pra um atraso? Ninguém. "Melhor a gente ir correndo", eu disse. "A peça começa às duas e quarenta." A gente foi descendo a escada pra chegar nos táxis.

"O que é que a gente vai ver?", ela disse.

"Não sei. Os Lunt. Só consegui entrada pra isso."

"Os Lunt! Ah, que maravilha!"

Eu te falei que ela ia ficar maluca quando soubesse que o ingresso era pros Lunt.

A gente fez um pouco de bobeira no táxi a caminho do teatro. Primeiro ela não quis, porque tinha passado batom e tal, mas eu estava sendo sedutor pra diabo e ela não teve escolha. Duas vezes, a merda do táxi parou de repente, eu quase caí da droga do banco. Esses motoristas desgraçados nunca nem olham pra onde estão indo, juro que não olham.

Aí, só pra te mostrar o quanto eu sou louco, quando a gente estava saindo de um agarro bem grande, eu falei que amava ela e tal. Era mentira, claro, mas o negócio é que na hora que eu falei eu *acreditei*. Eu sou louco. Juro por Deus que eu sou.

"Ah, querido, eu te amo também", ela disse. Aí, sem uma nem duas, ela disse, "Prometa que vai deixar o cabelo crescer. Cabelo raspado está ficando cafona. E o teu cabelo é tão bonito".

Bonito o cacete.

A peça não era das piores que eu já vi. Mas era meio merda. Tratava de uns quinhentos anos da vida de um único casal de velhos. Começa quando eles são novos e tal, e os pais da menina não querem que ela case com o rapaz, mas ela casa mesmo assim. Aí eles vão ficando cada vez mais velhos. O marido vai pra guerra, e a mulher tem um irmão que é bebum. Eu não consegui me interessar muito. Quer dizer, eu nem me incomodei muito quando morreu alguém da família nem nada. Eram só uns atores. O marido e a mulher eram um casal de velhinhos bem bacana — muito espirituosos e tal —, mas eu não consegui me interessar muito por eles. Pra começo de conversa, eles passaram a peça toda tomando chá ou alguma outra desgraça dessas. Toda vez que você via os dois, tinha algum mordomo enfiando chá na frente deles, ou a mulher estava servindo chá pra alguém. E todo mundo ficava *entrando* e *saindo* o tempo todo — você ficava tonto de ver as pessoas sentarem e levantarem. O Alfred Lunt e a Lynn Fontanne eram os velhos, e eles eram muito bons, mas eu não gostei muito deles. Só que eles eram bem diferentes, isso eu posso dizer. Eles não pareciam gente normal e não pareciam atores. É duro de explicar. Parecia mais que eles sabiam que eram famosos e tal. Quer dizer, eles eram bons, mas eram bons *demais*. Quando um deles terminava de dizer uma fala, o outro dizia alguma coisa bem rapidinho em cima.

Em teoria era pra parecer as pessoas falando de verdade, e se interrompendo e tal. O problema era que parecia *demais* as pessoas falando e se interrompendo. Eles representavam mais ou menos como o nosso amigo Ernie, lá no Village, toca piano. Se você faz alguma coisa bem *demais*, aí, depois de um tempo, se não se cuidar, você começa a se exibir. E aí você não é mais tão bom. Mas, enfim, eles eram os únicos ali na peça — eu estou falando dos Lunt — que pareciam ter miolo de verdade na cabeça. Isso eu não posso negar.

No fim do primeiro ato a gente saiu com todos os outros panacas pra fumar um cigarro. E que situaçãozinha. Você nunca viu tanta gente fajuta na vida, todo mundo fumando que nem chaminé e falando da peça pra todo mundo poder ouvir e ficar sabendo como eles eram espertos. Tinha um ator de cinema bem bocó pertinho da gente, fumando. Não sei o nome dele, mas em filmes de guerra ele sempre faz o sujeito que fica frouxo antes da hora de ir pro ataque. Ele estava com uma loira deslumbrante, e os dois estavam tentando ser bem blasés e tal, como se ele nem soubesse que as pessoas estavam olhando pra ele. Modesto que era o cão. Eu me diverti pacas. A nossa amiga Sally não falou muito, fora ficar elogiando os Lunt, porque estava ocupada olhando em volta e sendo encantadora. Aí, do nada, ela viu algum panaca que conhecia, lá do outro lado do saguão. Um carinha com um daqueles ternos de flanela cinza bem escura e um daqueles coletes xadrez. Estritamente Universidade de Elite. Grandes porcarias. Ele estava perto da parede, se matando de tanto fumar, e com uma cara entediada pra diabo. A nossa amiga Sally ficava dizendo, "Eu *conheço* aquele rapaz de algum lugar". Ela sempre *conhecia* alguém, em qualquer lugar que você fosse com ela, ou achava que conhecia. Ela ficou dizendo aquilo até eu ficar de saco cheiíssimo e dizer pra ela, "Por que você não vai lá e tasca um beijão nele, se você conhece o cara? Ele vai gostar". Ela ficou puta quando eu disse isso. Mas finalmente o panaca percebeu que ela estava ali e veio dizer oi. Você tinha que ter visto o jeito deles se cumprimentarem. Você ia achar que fazia vinte anos que eles não se viam. Ia pensar que eles tomavam banho na mesma banheira e tal quando eram pequenos. Camaradinhas das antigas. Era de dar engulhos. A parte engraçada era que eles provavelmente se viram só *uma vez*, em alguma festa de gente fajuta. Finalmente, quando eles tinham parado de baboseira, a nossa amiga Sally nos apresentou. O nome dele era George não sei das quantas — eu nem lembro — e ele estudava na Andover. Grandes, mas grandes porcarias. Você tinha que ter visto o sujeito quando a nossa amiga Sally perguntou o que ele estava achando da peça. Ele era do tipo de fajuto que precisa de *espaço* pra responder a pergunta de alguém. Deu um passo atrás, e pisou bem no pé de uma mulher que estava atrás dele. Provavelmente quebrou todos os dedos do esqueleto dela. Ele disse que a peça, *por si só*, não era exatamente uma obra-prima, mas que os Lunt, claro, estavam absolutamente divinos. Divinos. Pelamordedeus. *Divinos.* Aquela ali me matou. Aí ele e a nossa amiga Sally começaram a falar de um monte de gente que os dois conheciam. Foi a conversa mais fajuta que você já ouviu na tua vida inteira. Os dois ficavam pensando em lugares o mais rápido que podiam, aí pensavam em alguém que morava lá e mencionavam o nome da pessoa. Eu estava prestes a vomitar quando chegou a hora de ir sentar de novo. Estava mesmo. E aí, quando o ato seguinte acabou, eles *continuaram* com aquela conversinha chata desgraçada. Eles ficavam pensando em mais lugares e mais nomes de pessoas que moravam lá. O pior era que o panaca tinha um sotaque daqueles bem fajutos, sotaque Universidade de Elite, um sotaque daqueles bem cansados, bem esnobes. Parecia uma menina. Ele nem pen*sou* duas vezes antes de se meter no meu encontro, o filho de uma puta. Eu até pensei por um momento que ele ia entrar com a gente na droga do táxi quando a peça acabou, porque ele andou umas duas quadras com a gente, mas tinha que encontrar um bando de fajutos pra tomar uns coquetéis, ele disse. Dava pra eu ver eles todos sentadinhos em algum bar, com a merda daqueles coletes xadrez, analisando peças e livros e mulheres com aqueles sotaques cansados e esnobes. Eles me matam, esses caras.

Eu meio que estava odiando a nossa amiga Sally quando a gente entrou no táxi, depois de ficar ouvindo o fajuto daquele filho da puta da Andover por umas dez horas. Estava preparadinho pra levar ela pra casa e tal — estava mesmo —, mas ela disse, "Eu tive uma ideia maravilhosa!". Ela vivia tendo uma ideia maravilhosa. "Escuta", ela disse. "Que horas que você tem que estar em casa pra jantar? Quer dizer, por acaso você está morrendo de pressa e tal? Você tem algum horário especial pra estar em casa?"

"Eu? Não. Nenhum horário especial", eu disse. Em verdade vos digo, rapaz. "Por quê?"

"Vamos patinar no gelo no Radio City!"

Era o tipo de ideia que ela vivia tendo.

"Patinar no gelo no Radio City? Quer dizer, agora?"

"Só uma horinha. Você não quer? Se você não *quiser* —"

"Eu não disse que não queria", eu falei. "Claro. Se você quiser."

"Você está falando sério? Não *diga* se não for verdade. Quer dizer, por *mim* tanto faz."

Ah, mas não mesmo.

"Dá pra alugar aqueles saiotes lindos de patinadora", a nossa amiga Sally disse. "A Jeannette Cultz alugou semana passada."

Era por isso que ela estava louca pra ir. Ela queria se ver num daqueles saiotes que mal cobrem a bunda e tal.

Então a gente foi, e depois que deram os patins pra gente, deram pra Sally um vestidinho azul todo agarradinho. Mas que ela ficou bonita pacas com o vestido, ela ficou. Isso eu não vou negar. E nem pense que ela não sabia. Ela ficava indo na minha frente, pra eu poder ver como a bundinha dela estava bonita. E estava mesmo. Isso eu não vou negar.

Só que o engraçado foi que a gente patinava pior que todo mundo ali na droga daquele rinque. Mas pior *mesmo*. E tinha cada traste ali. O tornozelo da nossa amiga Sally ficava dobrando até quase encostar no gelo. E não era só que ficasse parecendo um negócio idiota pra diabo, mas devia estar doendo pra diabo também. Sei que o meu estava. O meu estava me matando. A gente devia estar lindo de morrer. E o que piorava tudo era que tinha pelo menos uns duzentos enxeridos que não tinham mais o que fazer da vida e estavam ali só pra ver todo mundo caindo de cabeça.

"Quer pegar uma mesa ali dentro e tomar alguma coisa, quem sabe?", eu acabei dizendo.

"Foi a ideia mais maravilhosa que você teve no dia inteiro", ela disse. Ela estava se *matando* ali. Era feio de ver. Eu estava com pena dela, de verdade.

A gente tirou a desgraça dos patins e foi até o bar onde você podia pedir uma bebida e ficar vendo os patinadores, só de meia. Assim que a gente sentou, a nossa amiga Sally tirou as luvas, e eu dei um cigarro pra ela. Ela não estava com uma cara muito satisfeita. O garçom chegou, e eu pedi uma Coca pra ela — ela não tomou — e um scotch com soda pra mim, mas o merdinha não quis trazer, então eu tomei uma Coca também. Aí eu meio que comecei a acender fósforos. Eu faço isso bastante quando estou num certo espírito. Eu meio que vou deixando eles queimarem até não conseguir segurar mais, e aí largo no cinzeiro. É um costume que eu tenho, nervosismo.

Aí, do nada, sem mais nem por quê, a nossa amiga Sally disse, "Olha só. Eu preciso saber. Você vai ou não vai passar lá em casa pra me ajudar a podar a árvore de Natal? Eu preciso saber". Ela ainda estava ranhetando por causa do tornozelo ali no rinque.

"Eu te escrevi dizendo que ia. Você me perguntou umas vinte vezes. Vou sim."

"Quer dizer, eu preciso saber", ela disse. Ela começou a olhar pra tudo quanto era lado.

Do nada, eu parei de acender fósforos, e meio que me inclinei mais pra perto dela, por cima da mesa. Eu tinha vários assuntos em mente. "Olha, Sally", eu disse.

"O quê?", ela disse. Ela estava olhando pra uma menina qualquer do outro lado do salão.

"Você alguma vez já ficou cansada de tudo?", eu disse. "Quer dizer, você já ficou com medo que tudo fosse dar merda a não ser que você fizesse alguma coisa? Quer dizer, você gosta da escola e coisa e tal?"

"É uma grande *chatice.*"

"Quer dizer, você odeia estudar? Eu sei que é uma grande chatice, mas por acaso você *odeia*? É isso que eu estou querendo dizer."

"Bom, eu não exatamente *odeio*. Você sempre tem que —"

"Bom, *eu* odeio. Rapaz, como eu odeio", eu disse. "Mas nem é só isso. É tudo. Eu odeio morar em Nova York e tal. Os táxis, e os ônibus da avenida Madison, com os motoristas e tal sempre gritando pra você sair pela porta de trás, e ser apresentado a esses fajutos que chamam os Lunt de divinos, e ficar subindo e descendo de elevador quando você só queria ir lá fora, e os caras medindo as tuas calças o tempo todo na Brooks, e as pessoas sempre —"

"Não grite, por favor", a nossa amiga Sally disse. O que foi bem esquisito, porque eu nem estava gritando.

"Veja lá os carros", eu disse. E disse bem baixinho. "Veja lá as pessoas em geral, elas são loucas por carros. Elas ficam preocupadas se o carro delas leva um arranhão, e vivem falando de quantos quilômetros conseguem fazer por litro, e até se elas compram um carro novinho já começam a pensar em trocar por um mais novo ainda. Eu nem gosto de carro. Quer dizer, não me interessa. Eu preferia ter a desgraça de um cavalo. Um cavalo pelo menos é *humano*, meu Deus do céu. Com um cavalo você pode pelo menos —"

"Eu não sei nem do que você está falando", a nossa amiga Sally disse. "Você fica pulando de um —"

"Quer saber de uma coisa?", eu disse. "Você é provavelmente o único motivo de eu estar em Nova York agora, ou em qualquer lugar. Se você não estivesse por aqui, eu ia provavelmente estar em algum lugar longe pra diabo. No mato ou na puta que pariu. Você é o único motivo de eu estar por aqui, praticamente."

"Você é um doce", ela disse. Mas dava pra você ver que ela queria que eu mudasse a droga do assunto.

"Você devia dar uma passada numa escola pra meninos uma hora dessas. Tente, uma hora dessas", eu falei. "É cheio de gente fajuta, e a única coisa que você faz lá é estudar pra poder aprender o suficiente pra ser esperto o suficiente pra comprar uma droga de um Cadillac um dia, e você tem que ficar fingindo que não está se lixando se a desgraça do time de futebol americano perde, e você só fala de mulher e bebida e sexo o dia inteiro, e todo mundo se junta nessas panelinhas desgramadas. Os caras que são do time de basquete se defendem, os católicos se defendem, os desgraçados dos intelectuais se defendem, os caras que jogam bridge se defendem. Até os caras que são da merda do Clube do Livro se defendem. Se você tenta uma conversa inteligente —"

"Agora, *escuta*", a nossa amiga Sally disse. "Tem muitos meninos que tiram mais que *isso* aí da escola."

"Concordo! Concordo que eles tiram, alguns! Mas é só isso que *eu* tiro. Está vendo? É isso que eu queria dizer. É exatamente isso que eu queria dizer, droga", eu disse. "Eu não tiro quase nada de nada. Eu estou mal. Eu estou *na pior*."

"Certamente."

Aí, do nada, eu tive uma ideia.

"Olha", eu disse. "A minha ideia é a seguinte. Que tal zarpar aqui desse inferno? A minha ideia é a seguinte. Eu conheço um cara no Greenwich Village que ia deixar a gente pegar o carro dele emprestado por umas semanas. A gente estudou na mesma escola e ele ainda está me devendo dez pratas. O que a gente podia fazer era que amanhã de manhã a gente podia ir de carro pra Massachusetts e Vermont, e tudo por lá, sabe. É lindo pra diabo por lá, de verdade." Eu estava ficando empolgado pra diabo, quanto mais pensava naquilo, e meio que estendi o braço e segurei a droga da mão da nossa amiga Sally. Que *idiota* desgraçado que eu fui. "Sem brincadeira", eu disse. "Eu tenho umas cento e oitenta pratas no banco. Posso sacar quando abrir amanhã cedo e aí a gente pode ir lá pegar o carro desse sujeito. Sem brincadeira. A gente fica numa daquelas cabanas de acampamento e coisa e tal até acabar a grana. Aí, quando a grana acabar, eu podia arrumar algum emprego por aí e a gente podia ir morar num lugar com um riacho e tal e, mais pra frente, a gente podia casar ou sei lá o quê. Eu podia cortar lenha pra gente no inverno e tal. Juro por Deus que a gente podia se divertir pacas! Que tal? Hein! Que tal? Quer ir comigo? Por favor!"

"Não dá pra simplesmente sair *fazendo* um negócio desses", a nossa amiga Sally disse. Ela parecia estar puta pra diabo.

"Por que não? Por que diabos não dá?"

"Por favor, pare de gritar comigo", ela disse. O que era bobagem, porque eu nem estava gritando com ela.

"Por que não? Por quê?"

"Porque não dá, pronto. Pra começo de conversa, nós dois somos praticamente cri*an*ças. E você por acaso já parou pra pensar o que você ia fazer se *não* arrumasse um emprego quando o teu dinheiro acabasse? A gente ia morrer de *fome*. A coisa toda é tão fanta*sio*sa, que não dá nem —"

"Não é fantasioso. Eu ia arrumar um emprego. Não se preocupe com isso. Você não precisa se preocupar com isso. Qual é o problema? Você não quer ir comigo? Então *diga* que não quer."

"Não é *isso*. Não é isso *mesmo*", a nossa amiga Sally disse. Eu estava começando a odiar a Sally, até. "A gente vai ter um montão de tempo pra fazer isso aí — isso tudo. Quer dizer, depois que você for pra faculdade e tal, e se a gente acabar casando e tal. Vai ter um montão de lugares maravilhosos pra gente ir conhecer. Você só está —"

"Não, não ia ter. Não ia ter montões de lugares pra ir conhecer, não mesmo. Ia ser completamente diferente", eu disse. Eu estava ficando deprimido pra diabo de novo.

"O quê?", ela disse. "Eu não estou te ouvindo. Uma hora você grita comigo, e depois você —"

"Eu disse que não, que não ia ter lugares maravilhosos pra ir conhecer depois que eu fosse pra faculdade e tal. Limpe os ouvidinhos. Ia ser completamente diferente. A gente ia ter que descer de elevador com as malas e coisa e tal. A gente ia ter que ficar ligando pra todo mundo e se despedir e mandar cartões-postais dos hotéis e tal. E eu ia ficar trabalhando em algum escritório, ganhando dinheiro a rodo, e pegando táxis ou ônibus da avenida Madison pra ir trabalhar, e lendo jornais, e jogando bridge o tempo todo, e indo ao cinema e vendo um monte de curtas idiotas e trailers e cinejornais.

Cinejornais. Senhor Todo-Poderoso. Sempre tem um páreo pateta, e alguma senhorinha quebrando uma garrafa num navio, e algum chimpanzé andando numa desgraça de uma bicicleta, de calça comprida. Não ia ser a mesma coisa, não mesmo. Você não está entendendo mesmo o que eu quero dizer."

"Talvez eu não esteja! E talvez *você* também não esteja", a nossa amiga Sally disse. A essa altura nós dois já odiávamos completamente um o outro. Dava pra você ver que não fazia mais sentido tentar uma conversa inteligente. Eu estava arrependido pra diabo de ter começado.

"Anda, vamos sair daqui", eu disse. "Você é um pé no saco, se você quer saber a verdade."

Rapaz, como ela ficou ensandecida quando eu disse isso. Eu sei que não devia ter dito, e provavelmente não teria dito em circunstâncias normais, mas ela estava me deixando deprimido pra diabo. Normalmente eu nunca digo uma coisa bruta dessas pra uma menina. *Rapaz*, como ela ficou ensandecida. Eu pedi desculpas feito um demente, mas ela não aceitou os meus pedidos. Ela estava até chorando. O que me deu um pouco de medo, porque eu estava meio receoso que ela fosse chegar em casa e dizer pro pai que eu tinha dito que ela era um pé no saco. O pai dela era um daqueles filhos da puta bem caladões, e ele não era lá muito louco por mim, mesmo. Uma vez o desgramado disse pra nossa amiga Sally que eu era barulhento demais.

"Sem brincadeira. Desculpa", eu ficava dizendo pra ela.

"Desculpa. Desculpa. Muito engraçado", ela disse. Ela ainda estava meio que chorando e, do nada, eu fiquei meio arrependido *de verdade* por ter dito aquilo.

"Vem, eu te levo pra casa. Sem brincadeira."

"Eu posso ir sozinha pra casa, muito obrigada. Se você acha que eu ia deixar *você* me levar pra casa, você pirou. Nenhum menino me disse isso na minha vida inteira."

A coisa toda era meio engraçada, até, se você parasse pra pensar, e, do nada, eu fiz um negócio que não devia ter feito. Eu ri. E eu tenho uma risada dessas bem barulhentas e idiotas. Quer dizer, se um dia eu ficasse atrás de mim no cinema ou sei lá o quê, eu provavelmente ia me inclinar e me mandar calar a boca, por favor. A nossa amiga Sally ficou mais louca ainda.

Eu fiquei ali um tempo, pedindo desculpas e tentando fazer ela me desculpar, mas ela não queria. Ficava me dizendo pra ir embora e pra deixar ela em paz. Aí acabou que eu fui mesmo. Entrei e peguei os meus sapatos e coisa e tal, e fui embora sem ela. Eu não devia, mas estava bem cansado de tudo àquela altura.

Se você quer saber a verdade, nem sei por que eu comecei tudo aquilo com ela. Quer dizer, aquilo de ir pra algum lugar, pra Massachusetts e Vermont e tal. Eu provavelmente não ia levar ela nem que ela quisesse ir comigo. Ela não era alguém pra você levar numa coisa dessas. Só que a parte terrível é que quando eu convidei eu estava falando *sério*. Essa que é a parte terrível. Eu juro por Deus que eu sou demente.

18

Quando saí do rinque de patinação eu meio que estava com fome, então entrei numa venda e pedi um sanduíche de queijo suíço e um leite maltado, e aí entrei numa cabine telefônica. Achei que talvez pudesse dar outra ligadinha pra nossa amiga Jane, pra ver se ela já estava em casa. Quer dizer, eu tinha a noite inteira livre, e pensei em dar uma ligadinha pra ela e, se ela já estivesse em casa, levar a Jane pra dançar ou sei lá o quê sei lá onde. Eu nunca dancei com ela nem nada desde que a gente se conheceu. Só que uma vez eu vi ela dançar. Parecia que ela era uma dançarina ótima. Foi num baile de Dia da Independência no clube. A gente nem se conhecia muito bem na época, e eu achei melhor não me meter no encontro dela. Ela estava com um sujeito terrível, o tal do Al Pike, que estudava na Choate. Eu não conhecia ele tão bem assim, mas ele vivia à toa na piscina. Ele usava aqueles calções de banho brancos de lastex, e vivia pulando do trampolim mais alto. Ele dava o mesmo porcaria de meio mortal de costas o dia inteiro. Era o único mergulho que ele sabia, mas ele se achava o maioral. Tudo músculo e nadinha na cabeça. Enfim, era com ele que a Jane estava naquela noite. Eu não conseguia entender. Juro que não conseguia. Depois que a gente começou a dar umas voltas, eu perguntei como ela podia sair com um exibido filho de uma puta que nem o Al Pike. A Jane disse que ele não era exibido. Ela disse que ele tinha complexo de inferioridade. Parecia que ela tinha pena do sujeito ou sei lá o quê, e não estava só botando banca. Ela estava falando sério. É um negócio engraçado com as meninas. Toda vez que você menciona um cara que é estritamente um filho da puta — muito mau ou muito cheio de si e tal — e quando você menciona isso pra menina, ela vem te dizer que ele tem é complexo de inferioridade. Vai ver que *tem* mesmo, mas nem por isso ele deixa de ser um filho de uma puta, na minha opinião. Meninas. Você nunca sabe o que elas vão pensar. Uma vez eu arranjei pra menina que dividia quarto com uma tal de Roberta Walsh sair com um amigo meu. O nome dele era Bob Robinson e *ele* tinha *mesmo* complexo de inferioridade. Dava pra você ver que ele tinha muita vergonha dos pais e tal, porque eles falavam "nós vai" e "cês vai" e esse tipo de coisa e não eram muito ricos. Mas ele não era filho da puta nem nada. Era um sujeitinho muito do bacana. Mas a colega da tal da Roberta Walsh não gostou nadinha dele. Ela disse pra Roberta que ele era muito cheio de si — e o *motivo* dela ter achado que ele era cheio de si era porque ele acabou mencionando pra ela que era capitão da equipe de debate. Uma coisinha dessas, e ela achou que ele era cheio de si! O problema com as meninas é que se elas gostam de um menino, por mais que ele seja filho da puta, vão dizer que ele tem complexo de inferioridade, e se *não* gostam, por mais que ele seja um sujeito bacana, ou por maior que seja o complexo de inferioridade dele, vão dizer que ele é cheio de si. Até as meninas inteligentes são assim.

Enfim, eu dei uma ligadinha de novo pra nossa amiga Jane, mas ninguém atendeu, então eu tive que desligar. Aí eu tive que conferir a minha agenda pra ver quem diabos podia estar livre à noite. Só que o problema era que a minha agenda tem só umas três pessoas. A Jane, e um carinha, o sr. Antolini, que foi meu professor na Elkton Hills, e o número do escritório do meu pai. Eu vivo esquecendo de colocar os nomes das pessoas ali. Então o que eu acabei fazendo foi que eu dei uma ligadinha pro nosso amigo Carl Luce. Ele se formou na Whooton School depois que eu saí. Era uns três anos mais velho que eu, e eu não gostava tanto assim dele, mas ele era um cara desses bem intelectuais — tinha o maior Q.I. de todos os meninos da Whooton — e eu achei que ele podia querer jantar comigo em algum lugar e ter uma conversa ligeiramente intelectual. Às vezes ele era bem esclarecedor. Então eu dei uma ligadinha pra ele. Ele agora estava na Columbia, mas morava na rua 65 e tal, e eu sabia que ele ia estar em casa. Quando eu estava com ele no telefone, ele disse que não podia ir jantar mas que me encontrava pra tomar alguma coisa às dez no Wicker Bar, na 54. Acho que ele ficou bem surpreso de ter notícias minhas. Uma vez eu chamei ele de fajuto gordolento.

Eu tinha um monte de tempo pra matar até as dez horas, então o que eu fiz foi que eu decidi ir ao cinema no Radio City. Era provavelmente a pior coisa que eu podia fazer, mas ficava perto, e eu não consegui pensar em mais nada.

Entrei quando a merda do espetáculo de abertura tinha começado. As Rockettes estavam chutando adoidado, como elas fazem quando estão uma do ladinho da outra, abraçadas pela cintura. A plateia aplaudia feito louca, e um cara atrás de mim ficava dizendo pra mulher, "Sabe o que é isso? Isso é precisão". Ele me matou. Aí, depois das Rockettes, entrou um cara de smoking e patins, e ele começou a patinar por baixo de um monte de mesinhas, e a contar piadas enquanto isso. Era um patinador bem bom e tal, mas eu não consegui me divertir muito porque ficava imaginando ele trei*nan*do pra ser um sujeito que patina no palco. Parecia uma coisa tão idiota. Acho que eu simplesmente não estava no clima certo. Aí, depois dele, tinha essa coisa de Natal todo ano no

Radio City. Um monte de anjos começa a aparecer nos camarotes e em toda parte, uns caras carregando crucifixos e coisa e tal pra tudo quanto é lado, e todo mundo ali — *milhares* — cantando "Adeste Fideles" que nem uns doidos. Grandes porcarias. Em teoria é um negócio religioso pra diabo, eu sei, e bem bonitinho e tal, mas eu não consigo ver nada de religioso nem bonito, meu Deus do céu, num bando de atores carregando uns crucifixos de um lado pro outro pelo palco. Quando eles acabaram, e começaram a sumir de novo nos camarotes, dava pra você ver que eles mal podiam esperar pra fumar um cigarrinho ou sei lá o quê. Eu vi isso tudo com a nossa amiga Sally Hayes no ano passado, e ela ficava dizendo como era lindo aquilo, o figurino e tal. Eu disse que o nosso amigo Jesus provavelmente ia ter vomitado se pudesse ver aquilo — aqueles figurinos chiques e tal. A Sally disse que eu era um ateu sacrílego. E provavelmente é o que eu sou. Mas Jesus ia ter gostado *mesmo* era do cara que toca tímpano na orquestra. Eu vou lá ver esse cara desde que eu tinha uns oito anos. O meu irmão Allie e eu, se a gente estava com os nossos pais e tal, a gente trocava de cadeira pra ir lá embaixo pra poder ver o cara. Ele é o melhor percussionista que eu já vi na vida. Ele só tem chance de bater naquilo lá umas duas vezes em cada peça, mas nunca fica com cara de tédio quando não está batendo. Aí quando bate mesmo, ele faz de um jeito tão delicado e cuidadoso, com uma cara nervosa. Uma vez quando a gente foi pra Washington com o meu pai, o Allie mandou um postal pra ele, mas aposto que ele nem recebeu. A gente não sabia muito bem como endereçar.

Depois que acabou o negócio do Natal, começou a merda do filme. Era tão infecto que eu não conseguia tirar os olhos da tela. Era sobre um sujeitinho inglês, Alec não sei das quantas, que esteve na guerra e perdeu a memória no hospital e tal. Ele sai do hospital usando bengala e mancando pra tudo quanto é lado, pela cidade de Londres inteira, sem saber quem diabos ele é. Na verdade ele é um duque, mas não sabe. Aí ele conhece uma menina simpática, simplinha e sincera que está subindo num ônibus. A desgraça do chapéu dela sai voando e ele pega, e aí eles vão pro andar de cima e sentam e começam a falar de Charles Dickens. Ele é o escritor favorito dos dois e tal. Ele está com um exemplar de *Oliver Twist* na mão e ela também. Eu estava pra vomitar. Enfim, eles se apaixonam já de cara, porque os dois são tão doidos por Charles Dickens e tal, e ele ajuda a moça a administrar a editora dela. Ela edita livros, a menina. Só que ela não vai muito bem das pernas, porque o irmão dela é um bebum e gasta tudo que eles ganham. É um camaradinha bem amargo, o irmão, porque foi médico na guerra e agora não consegue mais fazer operações porque está com os nervos em frangalhos, então ele entorna o tempo todo, mas é bem espirituoso e tal. Enfim, o nosso amigo Alec escreve um livro, e a tal da mocinha publica, e os dois ganham rios de dinheiro. Eles estão prontinhos pra casar quando essa outra menina, a nossa amiga Marcia, dá as caras. A Marcia era noiva do Alec antes dele perder a memória, e reconhece o sujeito quando ele está lá numa livraria dando autógrafos. Ela diz pro nosso amigo Alec que na verdade ele é duque e tal, mas ele não acredita nela e não quer ir com ela visitar a mãe e tal. A mãe dele é mais cega que sei lá o quê. Mas a outra menina, a simplinha, faz ele ir. Ela é nobre pacas e coisa e tal. Aí ele vai. Mas ele ainda não recupera a memória, nem quando o dogue alemão dele pula em cima do sujeito e a mãe mete os dedos na cara dele inteirinha e traz o ursinho de pelúcia que ele deixava todo babado quando era pequeno. Mas aí, um dia, uns meninos estão jogando críquete no gramado e ele toma uma bolada na cabeça. Aí já de cara ele recupera a desgraça da memória e vai dar um beijo na testa da mãe e tal. Aí ele começa a ser um duque normal de novo, e esquece completamente a moça simplinha que é dona da editora. Eu podia te contar o resto da história, mas perigava eu vomitar. Não é que eu fosse *estragar* o final pra você nem nada. Não tem nada pra *estragar* ali, pelamordedeus. Enfim, acaba com o Alec e a moça simplinha casando, e o irmão que é bebum se recompõe e opera a mãe do Alec pra ela poder enxergar de novo, e aí o irmão bebum e a nossa amiga Marcia caem um nos braços do outro. Acaba com todo mundo numa mesa de jantar bem comprida rindo adoidado porque o dogue alemão entra com um monte de filhotinhos. Todo mundo pensava que era macho, imagino eu, ou sei lá que desgraça. A única coisa que eu posso dizer é, não vá assistir se você não quiser sair do cinema todo vomitado.

A parte que me pegou foi que tinha uma mulher sentada do meu lado que ficou chorando do começo ao fim da droga do filme. Quanto mais fajuto ficava o negócio, mais ela chorava. Era de você pensar que ela estava chorando porque era boazinha pra diabo, mas eu estava sentado bem do lado dela, e não era não. Ela tinha ido com um menininho que estava morrendo de tédio e que precisava ir ao banheiro, mas ela não queria levar. Ficava dizendo pra ele sossegar na cadeira e se comportar. A desgraçada era tão boazinha quanto um lobo. Você veja lá uma pessoa que chora a dar com o pau com essas coisas fajutas dos filmes, noventa por cento de chance dela ser uma filha da puta no fundo do coração. Sem brincadeira.

Depois que o filme acabou, eu fui a pé até o Wicker Bar, onde em teoria eu ia encontrar o nosso amigo Carl Luce, e enquanto andava eu meio que ia pensando na guerra e tal. Esses filmes de guerra sempre fazem isso comigo. Acho que eu não ia aguentar se tivesse que ir pra guerra. Não mesmo. Não ia ser tão ruim se eles só te levassem lá e te dessem um tiro ou sei lá o quê, mas é que você tem que ficar tanto tempo na desgraça do *exército*. Esse que é o problema. O meu irmão D.B. ficou quatro anos na desgraça do exército. Ele foi pra guerra também — desembarcou no Dia D e tal —, mas eu acho mesmo é que ele odiava o exército mais do que a guerra. Eu era praticamente criança na época, mas lembro quando ele vinha pra casa de licença e tal, ele só ficava deitado na cama, praticamente. Quase nunca ia pra sala de estar. Depois, quando ele foi pra Europa e entrou na guerra e tal, ele não foi ferido nem nada e não teve que matar ninguém. Ele só tinha era que dirigir o carro de campanha de um general caubói de um lado pro outro. Uma vez ele disse pro Allie e pra mim que se tivesse que disparar em alguém ele não ia saber nem pra que lado atirar. Ele disse que o exército estava praticamente tão cheio de filhos da puta quanto os nazistas. Eu lembro que o Allie uma vez perguntou pra ele se não era meio que uma coisa boa ele estar na guerra porque como escritor ele ia ter muita coisa pra escrever e tal. Ele fez o Allie ir pegar a luva de beisebol, e aí perguntou pra ele quem era o melhor poeta de guerra, Rupert Brooke ou Emily Dickinson. O Allie disse Emily Dickinson. Eu pessoalmente não sei muito disso aí, porque eu não leio muita poesia, mas o que eu *sei* é que eu ia pirar se tivesse que ficar no exército e andar com um bando de gente que nem o Ackley e o Stradlater e o nosso amigo Maurice o tempo todo, marchando com eles e tal. Eu fui escoteiro, por mais ou menos uma semana, e não conseguia nem suportar a ideia de ficar encarando a nuca do cara que estava na minha frente. Eles ficavam dizendo pra você olhar pra nuca do cara que estava na tua frente. Eu juro que se um dia tiver outra guerra é melhor eles me pegarem de uma vez e me botarem na frente de um pelotão de fuzilamento. Eu não ia nem reclamar. Só que o negócio que me incomoda no D.B. é que ele odiou a guerra desse jeito mas me fez ler o tal daquele livro *Adeus às armas* agora no verão. Disse que era tão sensacional. É isso que eu não consigo entender. Tinha lá um cara no livro chamado tenente Henry que em teoria era um cara legal e tal. Eu não entendo como o D.B. podia odiar o exército e a guerra tanto assim e ainda gostar de um sujeito fajuto daqueles. Quer dizer, por exemplo, eu não entendo como ele podia gostar de um livro fajuto que nem aquele e ainda gostar daquele do Ring Lardner, ou daquele outro que ele adora loucamente, *O grande Gatsby*. O D.B. ficou puto quando eu falei isso, e disse que eu era novo demais pra poder dar valor praquele livro, mas eu não acho que é isso. Eu disse pra ele que gostei do Ring Lardner e do *Grande Gatsby* e tal. E gostei mesmo. Eu adorei loucamente *O grande Gatsby*. O nosso amigo Gatsby. O meu velho. Aquele ali me matou. Enfim, fico até feliz de terem inventado a bomba atômica. Se um dia tiver mais uma guerra, eu vou sentar bem em cima daquela desgraça. Vou de voluntário, juro por Deus que eu vou.

19

Caso você não more em Nova York, o Wicker Bar fica num hotel meio grã-fino, o Seton Hotel. Eu ia muito lá, mas não vou mais. Fui parando gradualmente. É um daqueles lugares que em teoria são bem sofisticados e tal, e tem fajuto saindo pelo ladrão. Antes eles tinham duas francesinhas, Tina e Janine, que tocavam piano e cantavam umas três vezes por noite. Uma tocava piano — estritamente porcaria — e a outra cantava, e quase todas as músicas eram ou bem baixaria ou em francês. A que cantava, a nossa amiga Janine, vivia sussurrando na merda do microfone antes de cantar. Ela dizia, "E agorra nôs querríamos cantarr nôssa verssao de Vule Vu Frrancê. Ê a istôrria de uma mocin' frrances' que chega a uma cidad' grrond', igualzin' a Nova York, e se apachon' porr um rapazin' do Brruquelim. Esperramos que vocês gostche'". Aí, quando já tinha acabado de sussurrar e de ser bonitinha pra diabo, ela cantava alguma música bocó, meio em inglês e meio em francês, e deixava a fajutada toda louca de alegria. Se você ficasse bastante tempo por ali e ouvisse aqueles fajutos todos aplaudindo e tal, você ia começar a odiar toda e qualquer pessoa do mundo, juro que ia. O barman era um nojo, também. Era um tremendo de um esnobe. Ele mal te dirigia a palavra, a não ser que você fosse figurão ou famoso ou sei lá o quê. Se você *fosse* figurão ou famoso ou sei lá o quê, aí é que ele ficava ainda mais repulsivo. Ele chegava até você e dizia, com um sorrisão charmoso, como se ele pudesse ser um sujeito bacana pra diabo se você conhecesse ele, "E aí! Como é que vai Connecticut?" ou "Como é que vai a Flórida?". Era um lugar horroroso, sem brincadeira. Eu parei completamente de ir lá, gradualmente.

Estava bem cedo quando eu cheguei lá. Eu sentei no balcão — estava bem cheio — e bebi uns scotchs com soda antes que o nosso amigo Luce aparecesse. Eu ficava de pé quando pedia a bebida pra eles verem como eu era alto e tal e não pensassem que eu era uma desgraça de um menor. Aí eu fiquei um tempo olhando os fajutos. Um tal de um sujeito perto de mim ia passando a maior lábia na menina que estava com ele. Ficava dizendo que ela tinha mãos aristocráticas. Aquela me matou. A outra ponta do balcão estava cheia de maricas. Eles nem tinham tanta cara de maricas — quer dizer, não tinham cabelo comprido demais nem nada —, mas dava pra ver que eles eram maricas mesmo assim. Finalmente o nosso amigo Luce apareceu.

O nosso amigo Luce. Que sujeito. Ele em teoria era o meu Mentor quando a gente estava na Whooton. Só que a única coisa que ele fazia era dar umas palestras sobre sexo e tal, tarde da noite quando tinha um monte de carinhas no quarto dele. Ele sabia bastante de sexo, especialmente de pervertidos e tal. Ele vivia falando de um monte de sujeitos medonhos que andam por aí tendo caso com ovelhas, e de uns caras que andam com as calcinhas das meninas costuradas no forro do chapéu e tal. E de desmunhecados e lésbicas. O nosso amigo Luce conhecia cada desmunhecado e cada lésbica dos Estados Unidos. Era só você mencionar uma pessoa — qual*quer* pessoa — que o nosso amigo Luce te dizia se era desmunhecado ou não. Às vezes era duro de acreditar, as pessoas que ele dizia que eram desmunhecados e lésbicas e tal, atores de cinema e essas coisas assim. Alguns que ele dizia que eram desmunhecados eram até casados, meu

Deus do céu. Você ficava dizendo assim pra ele, "Você está dizendo que o Fulano de Tal é desmunhecado? O Fulano de *Tal*? Aquele grandalhão, durão, que o tempo todo faz papel de gângster e de caubói?". O nosso amigo Luce dizia, "Certamente". Ele vivia dizendo "Certamente". Ele dizia que não fazia diferença o cara ser casado ou não. Dizia que metade dos caras casados do mundo eram desmunhecados e nem sabiam. Ele dizia que você podia virar desmunhecado praticamente da noite pro dia, se tivesse as inclinações todas e tal. Ele deixava a gente com um medo dos infernos. Eu ficava esperando a hora que eu ia virar desmunhecado ou sei lá o quê. O negócio engraçado com o nosso amigo Luce era que eu achava que ele mesmo era meio desmunhecado, até. Ele vivia dizendo, "Prova isso aqui pra ver se te serve", e aí te cutucava a bunda enquanto você passava pelo corredor. E toda vez que ia ao banheiro, ele sempre deixava a desgraça da porta aberta e ficava *conversando* com você enquanto você estava escovando os dentes ou sei lá o quê. Isso é tudo meio coisa de desmunhecado. De desmunhecado mesmo. Não foram poucos os desmunhecados de verdade que eu conheci, nas escolas e tal, e eles vivem fazendo essas coisas, e é por isso que eu sempre tive cá as minhas dúvidas quanto ao nosso amigo Luce. Mas era um cara bem inteligente. Inteligente mesmo.

Ele nunca dizia oi nem nada quando te encontrava. A primeira coisa que ele disse quando sentou foi que só podia ficar uns minutinhos. Disse que tinha um encontro. Aí ele pediu um martíni seco. Ele disse pro barman fazer bem seco, e sem azeitona.

"Olha só, achei um desmunhecado pra você", eu disse. "Lá na ponta do bar. Não olhe agora. Eu estava guardando ele pra você."

"Engraçadinho", ele disse. "O nosso velho amigo Caulfield. Quando é que você vai crescer?"

Eu deixava ele de saco muito cheio. Deixava mesmo. Só que ele me divertia. Era um daqueles caras que meio que me divertem pacas.

"Como é que vai a tua vida sexual?", eu perguntei. Ele odiava quando você perguntava esse tipo de coisa.

"Relaxe", ele disse. "Só sossegue um pouco e relaxe, pelamordedeus."

"Eu estou relaxado", eu disse. "Como é que vai a Columbia? Tá gostando?"

"Certamente. Se eu não gostasse não tinha entrado lá", ele disse. Ele também podia ser um saco às vezes.

"Você vai se formar em quê?", eu perguntei. "Pervertidos?" Eu só estava de bobeira.

"Isso é pra ser o quê — engraçado?"

"Não. Eu estou só de brincadeira", eu disse. "Escuta só, Luce. Você é um sujeitinho intelectual. Eu preciso do teu conselho. Eu estou numa situação horro—"

Ele me veio com um gemido enorme. "*Escuta* só, Caulfield. Se você quer ficar aqui e tomar um negócio, tranquilo, com calma, e bater um papo *tranquilo*, com cal—"

"Tudo bem, tudo bem", eu disse. "Relaxa." Dava pra ver que ele não estava a fim de discutir alguma coisa séria comigo. Esse que é o problema com esses sujeitos intelectuais. Eles nunca querem discutir as coisas sérias, a não ser que *eles* estejam a fim. Então a única coisa que eu fiz foi que eu comecei a discutir uns assuntos gerais com ele. "Sem brincadeira, como é que vai a tua vida sexual?", eu perguntei. "Ainda está dando umas voltas com aquela mesma menina lá da Whooton? Aquela com uns lindos —"

"Santo Deus, não mesmo", ele disse.

"Mas como? O que aconteceu com ela?"

"Não tenho a me*nor* ideia. Por mim, se você quer saber, ela pode até ter virado a Puta de New Hampshire a essa altura."

"Isso não é legal. Se ela foi decente a ponto de te deixar ficar sexual com ela o tempo todo, você no mínimo não devia falar dela desse jeito."

"Meu Deus!", o nosso amigo Luce disse. "Isso aqui vai ser uma típica conversa à la Caulfield? Eu quero saber já."

"Não", eu disse, "mas não é legal mesmo. Se ela foi decente e legal com você a ponto de te deixar —"

"A gente *precisa* continuar com esse assunto horroroso?"

Eu não abri a boca. Estava meio com medo que ele levantasse e me deixasse na mão se eu não calasse a boca. Então a única coisa que eu fiz foi que eu pedi outra bebida. Eu estava no clima de ficar torto de bêbado.

"Com quem é que você está dando umas voltas agora?", eu perguntei. "Você está a fim de me contar?"

"Ninguém que você fosse conhecer."

"Sim, mas quem? Eu posso conhecer."

"Uma menina que mora no Village. Escultora. Se você precisa mesmo saber."

"Ah, é? Sem brincadeira? Que idade ela tem?"

"Eu nunca *perguntei*, meu Deus do céu."

"Bom, mas mais ou menos?"

"Eu diria que ela deve ter trinta e muitos", o nosso amigo Luce disse.

"*Trinta* e muitos? É? E você gosta?", eu perguntei. "Você gosta delas nessa idade?" O motivo de eu estar perguntando era porque ele sabia mesmo bastante coisa sobre sexo e tal. Ele era um dos poucos caras que eu conhecia que sabiam bastante. Ele perdeu a virgindade quando ainda estava com catorze, em Nantucket. Perdeu mesmo.

"Eu gosto de uma pessoa madura, se é isso que você está dizendo. Certamente."

"Gosta mesmo? Por quê? Sem brincadeira, elas ficam melhores pro sexo e tal?"

"Escuta. Vamos deixar uma coisa bem clara aqui. Eu me nego a responder qualquer pergunta caulfieldiana hoje. Quando é que você vai crescer, *diabo*?"

Eu fiquei de boca fechada por um tempo. Larguei mão por um tempo. Aí o nosso amigo Luce pediu outro martíni e disse pro barman fazer bem mais seco.

"Escuta. Faz quanto tempo que você está dando umas voltas com ela, com essa menina das esculturas?", eu perguntei. Eu estava interessado mesmo. "Você conheceu ela quando ainda estava na Whooton?"

"Difícil. Ela acabou de chegar no país, faz poucos meses."

"Ah, foi? Ela é de onde?"

"Por acaso ela é de Xangai."

"Sem brincadeira! Ela é chi*ne*sa, pelamordedeus?"

"Obviamente."

"Sem brincadeira! E você gosta? Dela ser chinesa?"

"Obviamente."

"Por quê? Essa eu queria saber — sério mesmo."

"Eu simplesmente considero a filosofia oriental mais satisfatória que a ocidental. Se você *quer* saber."

"Ah, é? Como é que é isso de 'filosofia'? Cê tá falando de sexo e tal? Você quer dizer que é melhor na China? É isso?"

"Não necessariamente na *China*, meu Deus do céu. Eu disse *Oriente*. A gente precisa continuar com essa conversinha fútil?"

"Escuta, eu estou falando sério", eu disse. "Sem brincadeira. Por que que é melhor no Oriente?"

"É complicado demais de explicar, meu Deus do céu", o nosso amigo Luce disse. "Simplesmente calha deles considerarem o sexo como uma experiência tanto física quanto espiritual. Se você acha que eu vou —"

"Eu também! Eu também considero isso aí — uma experiência física e espiritual e tal. Considero mesmo. Mas depende da desgraça da pessoa que está ali comigo. Se eu for fazer com alguém que eu nem —"

"Mais *baixo*, Caulfield, meu Deus do céu. Se você não dá conta de controlar o teu tom de voz, nós vamos parar com —"

"Está certo, mas escuta", eu disse. Eu estava ficando empolgado e *estava* falando um pouquinho alto demais. Às vezes eu falo um pouquinho alto quando me empolgo. "Só que o que eu queria dizer era o seguinte", eu disse. "Eu sei que em teoria é um negócio físico e espiritual, e artístico e tal. Mas o que eu queria dizer é que não dá pra fazer com *todo mundo* — com toda menina com quem você dá uns malhos e tal — e fazer sair desse jeito aí. Não é?"

"Vamos mudar de assunto", o nosso amigo Luce disse. "Tudo bem pra você?"

"Está certo, mas escuta. Você e essa chinesinha, no caso. O que é que tem de especial?"

"*Mude* de assunto, eu disse."

Eu estava ficando meio pessoal demais. Eu sei. Mas isso era um dos negócios irritantes com o Luce. Quando a gente estava na Whooton, ele te fazia descrever as coisas mais pessoais que aconteceram com *você*, mas se você começava a fazer perguntas sobre *ele*, aí ele ficava puto. Esses sujeitos intelectuais não gostam de ter uma conversa intelectual com você, a não ser que fiquem controlando tudo. Eles sempre querem que você cale a boca quando *eles* calam a boca, e volte pro teu quarto quando eles voltam pro quarto *deles*. Quando eu estava na Whooton o nosso amigo Luce odiava — dava pra ver mesmo que ele odiava — quando depois dele terminar a palestrinha sobre sexo pro nosso grupo ali no quarto dele a gente ia ficando e jogava conversa fora um tempo. Quer dizer, os outros carinhas e eu. No quarto de outra pessoa. O nosso amigo Luce odiava. Ele sempre queria que todo mundo voltasse cada um pro seu quarto e calasse a boca quando ele já tinha dado uma de figurão. O negócio que ele tinha medo era que ele tinha medo de alguém dizer alguma coisa mais esperta do que *ele* tinha dito. Ele me divertia mesmo.

"Acho que eu vou pra China. A minha vida sexual está uma desgraça", eu disse.

"Claro. A tua mente é imatura."

"É. É mesmo. Eu sei", eu disse. "Sabe qual que é o problema comigo? Eu nunca consigo ficar bem sexual — quer dizer, bem sexual *mesmo* — com uma menina que eu não gosto muito. Quer dizer, eu tenho que *gostar* muito dela. Se eu não gosto, eu meio que perco a droga do desejo por ela e tal. Rapaz, isso ferra legal com a minha vida sexual. A minha vida sexual é uma droga."

"Claro que é, meu Deus do céu. Eu te disse da última vez que te vi o que você precisa fazer."

"Você está falando de ir num psicanalista e tal?", eu disse. Era isso que ele tinha dito pra eu fazer. O pai dele era psicanalista e tal.

"Você que sabe, meu Deus do céu. Não é problema meu, cacete, o que você decide fazer com a tua vida."

Eu fiquei um tempo de boca fechada. Eu estava pensando.

"E se eu fosse ver o teu pai e deixasse ele me psicanalisar e tal", eu disse. "O que é que ele ia fazer comigo? Quer dizer, o que é que ele ia fazer comigo?"

"Ele não ia fazer droga nenhuma com você. Ele ia simplesmente conversar com você, e você ia conversar com ele, meu Deus do céu. Pra começar, ele ia te ajudar a reconhecer os teus padrões mentais."

"Os meus o quê?"

"Os teus padrões mentais. A tua mente funciona com — Escuta. Eu não vou dar um curso básico de psicanálise aqui. Se você estiver interessado, ligue pra ele e marque uma consulta. Se não estiver, não ligue. Eu estou pouco me lixando, francamente."

Eu pus a mão no ombro dele. Rapaz, como ele me divertia. "Você é um filho de uma puta bem simpático", eu disse pra ele. "Sabia?"

Ele estava olhando pro relógio de pulso. "Eu tenho que zarpar", ele disse, e levantou. "Bom te ver." Chamou o barman e pediu a conta dele.

"Ô", eu disse, logo antes dele se mandar. "O teu pai por acaso já te psicanalisou?"

"Eu? Por que você quer saber?"

"Por nada. Mas e aí? Psicanalisou?"

"Não exatamente. Ele me ajudou a me adap*tar*, em certa medida, mas um processo completo de análise não foi necessário. Por que você quer saber?"

"Por nada. Eu só estava pensando."

"Bom. Se cuide", ele disse. Ele estava deixando a sua gorjetinha e tal e ia saindo.

"Tome mais uma", eu disse. "Por favor. Eu estou numa solidão dos infernos. Sem brincadeira."

Mas ele disse que não podia. Disse que já estava tarde, e aí foi embora.

O nosso amigo Luce. Ele era estritamente um pé no saco, de marca maior, mas certamente tinha um bom vocabulário. Ele tinha o maior vocabulário de todos os meninos da Whooton, quando eu estava lá. Eles fizeram um teste com a gente.

20

Eu fiquei ali sentado me embebedando e esperando as nossas amigas Tina e Janine aparecerem pra dar o seu showzinho, mas elas não estavam lá. Um fulano com jeito de maricas e cabelo ondulado apareceu e tocou piano, e aí uma moça nova, uma tal de Valencia, apareceu e cantou. Ela não prestava, mas era melhor que as nossas amigas Tina e Janine, e pelo menos cantou umas músicas boas. O piano ficava bem do ladinho do balcão onde eu estava e tal, e a nossa amiga Valencia estava praticamente do meu lado. Eu meio que dei aquela sacada nela, mas ela fingiu que nem me viu. Eu provavelmente não ia ter feito uma coisa dessas, mas estava ficando bêbado pra diabo. Quando terminou, ela se mandou dali tão rápido que eu nem tive chance de convidar ela pra tomar alguma coisa comigo, então eu chamei o maître. Eu disse pra ele perguntar pra nossa amiga Valencia se ela aceitava tomar alguma coisa comigo. Ele disse que ia perguntar, mas provavelmente nem passou o recado. As pessoas nunca passam o teu recado pra ninguém.

Rapaz, eu fiquei na desgraça daquele balcão até coisa de uma da matina, me embebedando pra cacete. Eu mal estava enxergando direito. Mas a única coisa que eu fiz foi que eu me cuidei pacas pra não ficar escandaloso nem nada. Não queria que ninguém me percebesse nem ficasse perguntando a minha idade. Mas, rapaz, eu mal estava enxergando direito. Quando estava bêbado *de verdade*, eu comecei aquele negócio idiota da bala na barriga. Eu era o único cara ali no bar com uma bala na barriga. Ficava pondo a mão por baixo do paletó, no estômago e tal, pra não deixar o sangue ficar pingando pra tudo quanto é lado. Eu não queria que ninguém nem soubesse que eu estava ferido. Eu estava ocul*tan*do o fato de ser um merdinha ferido. Finalmente o que me deu vontade foi que me deu vontade de dar uma ligadinha pra nossa amiga Jane pra ver se ela já estava em casa. Então eu paguei a minha conta e tal. Aí eu saí do balcão e fui pro lugar onde ficavam os telefones. Deixei a mão por baixo do paletó pro sangue não ficar pingando. Rapaz, como eu estava bêbado.

Mas quando eu entrei na tal cabine telefônica, eu não estava mais tão no clima de dar uma ligada pra nossa amiga Jane. Acho que estava bêbado demais. Então o que eu fiz foi que eu dei uma ligadinha pra nossa amiga Sally Hayes.

Tive que discar uns vinte números antes de acertar. Rapaz, como eu estava cego.

"Alô", eu disse quando alguém atendeu a desgraça do telefone. Eu meio que gritei alô, de tão bêbado que eu estava.

"Quem é?", disse a voz gelada de uma senhora.

"Sou eu. Holden Caulfield. Dexeu falaca Sally, p'favor."

"A Sally está dor*min*do. Aqui é a avó dela. Por que você está ligando a essa hora, Holden? Você sabe que horas são?"

"Sei. Quero falaca Sally. Portantíssimo. Passaí pra ela."

"A Sally está *dormindo*, rapazinho. Ligue amanhã para ela. Boa noite."

"Acorda ela! Acorda ela aê. Issomês."

Aí veio uma voz diferente. "Holden, sou eu." Era a nossa amiga Sally. "Mas que ideia é essa?"

"Sally? É você?"

"Sim — pare de gritar. Você está bêbado?"

"Tô. Escuta. Escuta só. Eu passo aê na vespra do Natal. Tabom? Podá desgraça darve pra você. Tabom? Tabom, hein, Sally?"

"Sim. Você está bêbado. Vá pra cama agora. Onde é que você está? Quem está aí com você?"

"Sally? Eu vou passá aê podá arve pra você, tabom? Tabom, hein?"

"*Sim*. Vá pra cama agora. Onde é que você está? Quem está aí com você?"

"Ninguém. Só euzinho aqui." Rapaz, como eu estava bêbado! E eu ainda estava segurando as tripas. "Eles me acertaram. A gangue daquele mafioso do desenhanimado me acertou. Cê sabia? Sally, cê sabia?"

"Eu não estou te ouvindo. Vá pra cama agora. Eu tenho que desligar. Me ligue amanhã."

"Ô Sally! Qué queu pode arve pra você? Qué? *Hein?*"

"*Sim*. Boa noite. Vá pra casa e vá pra cama."

Ela desligou na minha cara.

"Boa noite. Boa noite, Sally querida. Sally queridinha do coração", eu disse. Você consegue imaginar o quanto eu estava bêbado? Eu desliguei também, daí. Pensei que ela devia estar chegando em casa naquela hora, de algum encontro. Imaginei ela com os Lunt e tal em algum lugar, e aquele panaca da Andover. Eles todos nadando numa droga de um bule de chá e dizendo coisinhas sofisticadas um pro outro e sendo encantadores e fajutos. Eu me arrependi até o sabugo de ter ligado pra ela. Quando eu estou bêbado, eu sou um demente.

Eu fiquei na desgraça da cabine telefônica um bom tempo. Ficava agarrado no telefone, meio que agarrado, pra não apagar. Eu não estava me sentindo uma maravilha não, pra te dizer a verdade. Só que finalmente eu saí e fui pro banheiro, cambaleando que nem uma besta, e enchi uma das pias com água fria. Aí meti a cabeça na pia, até a orelha. E nem tentei enxugar nem nada. Só deixei a merda ficar pingando. Aí eu fui até o aquecedor embaixo da janela e sentei nele. Estava bem quentinho. Foi gostoso porque eu estava tremendo pra diabo. É um negócio engraçado, eu sempre tremo adoidado quando estou bêbado.

Eu não tinha mais o que fazer, então fiquei ali sentado no aquecedor contando os quadradinhos brancos do chão. Eu estava ficando encharcado. Tinha coisa de uns cinco litros de água me escorrendo pelo pescoço, molhando o meu colarinho e a gravata e tal, mas eu estava pouco me lixando. Estava bêbado demais pra me incomodar com isso. Aí, logo logo, o cara que tocava piano pra nossa amiga Valencia, o tal do sujeitinho de cabelo bem ondulado, com jeito de maricas, chegou pra pentear os cachinhos dourados. A gente meio que começou a conversar enquanto ele se penteava, só que ele não era exatamente receptivo.

"Olha só. Você vai ver aquela Valencia quando voltar pro bar?", eu perguntei.

"Há grandes probabilidades", ele disse. Espertinho filho de uma puta. Eu só fico topando com esses espertinhos filhos de uma puta.

"Escuta. Mande lembranças pra ela. Pergunte se o merdinha do garçom deu o meu recado pra ela, tá?"

"Por que é que você não vai pra casa, camarada? E que idade você tem afinal?"

"Oitenta e seis. Escuta. Mande lembranças. Tá certo?"

"Por que é que você não vai pra casa, camarada?"

"Eu é que não. Rapaz, como você toca aquele piano", eu disse. Eu só estava bajulando ele. Ele tocava um piano podre, se você quer saber a verdade. "Você tinha que estar no rádio", eu disse. "Um sujeito bonitão que nem você. Essa desgraça desses cachinhos dourados. Quer um empresário?"

"Vá pra casa, camarada, bem bonzinho. Vá pra casa e caia na cama."

"Não tenho casa. Sem brincadeira — quer um empresário?"

Ele não me respondeu. Só saiu dali. Já tinha acabado de pentear o cabelo e ajeitar e tal, então foi embora. Que nem o Stradlater. Esses bonitões são sempre iguais. Quando acabam de pentear a merda do cabelo, eles te deixam na mão.

Quando eu finalmente levantei do aquecedor e fui até a chapelaria, eu estava chorando e tal. Não sei por quê, mas estava. Acho que era porque eu estava sentindo tanta solidão, e aquela depressão. Aí, quando eu cheguei no caixa, não conseguia encontrar a desgraça da minha conta. Só que a moça da chapelaria foi bem simpática. Ela me deu o meu casaco mesmo assim. E o meu disco, o *Little Shirley Beans* — eu ainda estava com ele e tal. Eu dei um dólar por ela ter sido tão simpática, mas ela não quis pegar. Ficou dizendo pra eu ir pra casa e ir pra cama. Eu meio que tentei marcar um encontro com ela quando ela terminasse o trabalho, mas ela não quis. Disse que tinha idade pra ser minha mãe e tal. Eu mostrei a merda do meu cabelo grisalho e disse que tinha quarenta e dois anos — estava só de bobeira, lógico. Só que ela foi simpática. Eu mostrei a desgraça do meu boné vermelho de caçador, e ela gostou. Ela me fez colocar o boné antes de sair, porque o meu cabelo ainda estava bem molhado. Ela era legal.

Eu não estava mais me sentindo tão bêbado quando saí, mas lá fora estava bem frio de novo, e os meus dentes começaram a bater que era o cão. Não tinha como fazer parar. Eu fui até a avenida Madison e decidi esperar um ônibus porque eu quase não tinha mais dinheiro e tinha que começar a economizar em táxi e tal. Mas eu não estava no clima de pegar uma droga de um ônibus. Fora que eu nem sabia onde é que eu tinha que ir. Então o que eu fiz foi que eu comecei a ir a pé pro parque. Pensei em ir até aquele laguinho pra ver o que diabos os patos andavam aprontando, ver se eles estavam ou não por ali, eu ainda não sabia se eles estavam ou não por ali. Não era tão longe até o parque, e eu não tinha mais nenhum destino especial — eu ainda nem sabia onde ia *dormir* —, então eu fui. Eu não estava cansado nem nada. Só estava triste pra diabo.

Aí aconteceu um negócio terrível bem quando eu entrei no parque. Eu derrubei o disco da nossa amiga Phoebe. Quebrou nuns cinquenta pedacinhos. Estava num envelopão e tal, mas quebrou mesmo assim. Eu quase, quase chorei, de tão mal que aquilo me deixou, mas a única coisa que eu fiz foi que eu tirei os pedacinhos do envelope e coloquei no bolso do casaco. Eles não serviam pra mais nada, mas eu não estava a fim de simplesmente jogar fora. Aí eu entrei no parque. Rapaz, como estava escuro.

Eu moro em Nova York desde que me conheço por gente, e tenho o Central Park na palma da mão, porque eu patinava ali direto, e andava de bicicleta quando era pequeno, mas deu um trabalhão imenso encontrar o tal do lago naquela noite. Eu *sabia* bem onde era — era bem pertinho da Central Park South e tal —, mas ainda assim não conseguia achar. Eu devia estar mais bêbado do que pensava. Eu fui andando, andando, e ia ficando mais escuro, mais escuro, e dando mais e mais medo. Não vi uma única pessoa nesse tempo todo que eu passei no parque. E que bom. Eu provavelmente ia ter dado um pulo de mil metros de altura se tivesse visto. Aí acabou que eu encontrei. E o negócio é que estava meio congelado e meio não congelado. Mas eu não vi pato nenhum por ali. Dei a volta na droga do lago inteiro — quase caí lá *dentro* uma vez, na verdade —, mas não vi um reles patinho. Pensei que talvez se algum deles *estivesse* por ali, podia estar dormindo ou sei lá o quê perto da beira d'água, perto da grama e tal. Foi assim que eu quase caí. Mas não consegui encontrar nem unzinho.

Finalmente eu sentei num banco, onde não estava tão escuro. Rapaz, eu estava tremendo que nem um filho da puta, e os cabelos da minha nuca, apesar de eu estar com o boné de caçador, estavam meio que cheios de uns pedacinhos de gelo. Aquilo me deixou preocupado. Eu achei que provavelmente ia pegar uma pneumonia e morrer. Comecei a imaginar milhões de panacas indo no meu velório e tal. O meu avô de Detroit, que fica dizendo o número das ruas em voz alta quando você pega uma droga de um ônibus com ele, e as minhas tias — eu tenho umas cinquenta tias — e a porcariada toda dos meus primos. Que cambada. Todos eles vieram quando o Allie morreu, aquele bando inteirinho de idiotas. Eu tenho uma idiota de uma tia com mau hálito que ficava dizendo como ele estava em *paz* ali no caixão, o D.B. me disse. Eu não estava lá. Ainda estava no hospital. Eu tive que ir pro hospital e tal depois de machucar a mão. Enfim, eu fiquei ali preocupado que ia pegar uma pneumonia, com aquele monte de pedacinhos de gelo no cabelo, e que ia morrer. Fiquei com uma pena dos diabos da minha mãe e do meu pai. Especialmente da minha mãe, porque ela ainda não superou o meu irmão Allie. Eu ficava imaginando ela ali sem saber o que fazer com os meus ternos todos e o meu equipamento esportivo e tal. A única coisa boa era que eu sabia que ela não ia deixar a nossa amiga Phoebe ir na merda do meu velório porque ela era só uma criancinha. Era a única parte boa. Aí eu pensei naquele bando todo me enfiando numa desgraça de um cemitério e tal, com o meu nome na lápide e tal. Cercado de gente morta. Rapaz, quando você morre, eles te ajeitam direitinho. Queira o diabo que quando eu *morrer* alguém tenha o bom senso de só me jogar num rio ou sei lá o quê. Tudo menos me enfiar numa desgraça de um cemitério. O pessoal vindo colocar umas flores na tua barriga todo domingo, e essa merda toda. Quem é que quer flor depois de morto? Ninguém.

Quando o tempo está bom, os meus pais vão com certa frequência espetar umas flores no túmulo do Allie. Eu fui com eles umas vezes, mas tive que parar. Pra começo de conversa, eu certamente não gosto de ver ele ali naquele cemitério maluco. Cercado de gente morta e de lápides e tal. Não era tão ruim quando tinha sol, mas duas vezes — *duas* — a gente estava lá quando começou a chover. Foi um horror. Choveu na porcaria daquela lápide dele, e choveu na grama que ficava na barriga dele. Choveu pra tudo quanto era lado. Todos os visitantes que estavam visitando o cemitério começaram a correr pra diabo pra ir pros carros deles. Foi isso que quase me deixou maluco. Os visitantes todos podiam entrar no carro e ligar o rádio e tal e aí ir jantar em algum lugar bacana — todo mundo menos o Allie. Eu não aguentei. Eu sei que é só o corpo dele e tal que está ali no cemitério, e que a alma está no céu e essa merda toda, mas mesmo assim eu não aguentei. Só queria que ele não estivesse ali. Você não conheceu o Allie. Se tivesse conhecido, você ia me entender. Não é tão ruim quando tem sol, mas o sol só aparece quando está a fim de aparecer.

Depois de um tempo, só pra não ficar pensando em pegar pneumonia e tal, eu puxei a minha grana e tentei contar debaixo da porcaria da luzinha que vinha do poste. Eu só tinha mais três notas de um e cinco moedinhas de vinte e cinco centavos e uma de cinco — rapaz, eu gastei uma fortuna desde que saí da Pencey. Aí o que eu fiz foi que eu desci até o lago e meio que fiz as moedinhas saltarem na água, onde não estava congelado. Não sei por que eu fiz isso, mas eu fiz. Acho que devo ter pensado que aquilo ia me fazer parar de ficar pensando em pegar pneumonia e morrer. Só que não fez.

Eu comecei a pensar como a nossa amiga Phoebe ia ficar se eu pegasse pneumonia e morresse. Era um jeito infantil de pensar, mas eu não consegui me conter. Ela ia ficar bem mal se acontecesse um negócio desses. Ela gosta pacas de mim. Quer dizer, ela é bem apegada. Apegada mesmo. Enfim, eu não conseguia tirar esse negócio da cabeça, então finalmente o que eu saquei que eu ia fazer foi que eu saquei que era melhor entrar bem quietinho em casa pra ver a Phoebe, caso eu fosse morrer e tal. Eu estava com a chave da porta e tal, e saquei que o que eu ia fazer era que eu ia entrar bem quietinho no apartamento, no maior silêncio e tal, e só meio que trocar uma ideia com ela por um tempo. A única coisa que me preocupava era a porta da frente. Aquilo range pra diabo. É um prédio bem antigo, e o zelador é um preguiçoso filho da puta, e tudo range e guincha. Fiquei com medo que os meus pais fossem me ouvir entrando. Mas decidi que ia tentar mesmo assim.

Aí eu saí do diabo do parque, e fui pra casa. Fui a pé. Não era tão longe, e eu não estava cansado e nem estava mais bêbado. Estava só frio demais e sem ninguém por perto.

21

Maior golpe de sorte que eu tive nos últimos anos, quando cheguei em casa o ascensorista normal da noite, o Pete, não estava no elevador. Um sujeito novo que eu nunca tinha visto estava no elevador, então eu saquei que se não desse de cara com os meus pais e tal ia conseguir dar um oi pra nossa amiga Phoebe e aí me mandar sem ninguém ficar sabendo que eu tinha passado por ali. Era um golpe de sorte sensacional mesmo. E, pra melhorar, o ascensorista novo era meio tapadinho. Eu disse pra ele, com uma voz bem casual, me levar até os Dickstein. Os Dickstein eram o pessoal do outro apartamento no nosso andar. Eu já tinha tirado o meu boné de caçador, pra não parecer uma figura suspeita e tal. Eu entrei no elevador como se estivesse com uma pressa enorme.

Ele já tinha fechado direitinho a porta do elevador e tal, e estava prontinho pra subir comigo, e aí se virou e me disse, "Eles não tão. Eles tão numa festa no catorze".

"Tudo bem", eu disse. "É pra eu ficar esperando. Eu sou sobrinho deles."

Ele me deu uma olhada meio idiota, desconfiada. "Melhor você esperar no saguão, meu chapa", ele disse.

"Eu bem que queria — de verdade", eu disse. "Mas eu tenho problema numa perna. Ela tem que ficar numa certa posição. Acho que era melhor eu sentar na cadeira lá da frente da porta deles."

Ele não sabia de que diabo eu estava falando, então a única coisa que ele disse foi "Ah" e me levou pra cima. Nada mau, rapaz. Engraçado. Você só precisa é dizer alguma coisa que ninguém entende e aí eles fazem praticamente tudo que você quer.

Eu desci no nosso andar — mancando que nem um filho da puta — e comecei a andar na direção do apartamento dos Dickstein. Aí, quando ouvi a porta do elevador fechar, eu me virei e fui pro nosso lado. Eu estava indo bem. Eu nem estava mais me sentindo bêbado. Aí peguei a minha chave e abri a nossa porta, quieto pra diabo. Aí com muito, mas muito cuidado e tal eu entrei e fechei a porta. Eu devia era ter sido bandido.

Estava escuro pra diabo na entrada, lógico, e lógico que eu não podia acender nenhuma luz. Tinha que cuidar pra não trombar com nada e fazer estrondo. Mas eu certamente sabia que estava em casa. A entrada da nossa casa tem um cheiro esquisito que não parece nenhum outro. Eu não sei que diabo é. Não é couve-flor e não é perfume — não sei que diabo é —, mas você sempre sabe que está em casa. Eu comecei a tirar o casaco, e ia pendurar no armário ali da entrada, mas aquele armário fica lotado de uns cabides que fazem um estardalhaço maluco quando você abre a porta, então eu fiquei de casaco. Aí comecei a andar muito, mas muito devagar na direção do quarto da nossa amiga Phoebe. Eu sabia que a empregada não ia me escutar, porque ela só tinha um tímpano. Tinha um irmão que enfiou um canudinho no ouvido dela quando ela era criança, um dia ela me contou. Ela era bem surdinha e tal. Mas os meus *pais*, especialmente a minha mãe, ela tem ouvido de tísico. Então eu tomei muito, mas muito cuidado quando passei pela porta deles. Até segurei a respiração, meu Deus do céu. Você pode tacar uma cadeira na cabeça do meu pai que ele não acorda, mas a minha mãe, com a minha mãe é só você tossir em algum lugar da Sibéria que ela te escuta. Ela é nervosa pra diabo. Quase sempre ela passa a noite acordada fumando.

Finalmente, depois de coisa de uma hora, eu cheguei no quarto da nossa amiga Phoebe. Só que ela não estava lá. Eu tinha esquecido essa. Esqueci que ela sempre dorme no quarto do D.B. quando ele está em Hollywood ou algum outro lugar. Ela gosta porque é o maior quarto da casa. Também porque tem uma mesona imensa de demente que o D.B. comprou de uma alcoólatra qualquer lá na Filadélfia, e uma cama grandona, gigante, que tem uns quinze quilômetros de largura e uns quinze de comprimento. Não sei onde ele comprou aquela cama. Enfim, a nossa amiga Phoebe gosta de dormir na cama do D.B. quando ele viaja, e ele deixa. Você tinha que ver ela fazendo lição de casa ou sei lá o quê naquela mesona maluca. É quase do tamanho da cama. Mal dá pra ver a nossa amiga Phoebe quando ela está fazendo a lição. Só que é bem o tipo de coisa que ela gosta. Ela não gosta do quarto dela porque é pequeno demais, ela diz. Ela diz que gosta de se espalhar. Essa me mata. O que é que a nossa amiga Phoebe tem pra espalhar? Nada.

Enfim, eu fui pro quarto do D.B., quietinho pra diabo, e acendi a luminária em cima da mesa. A nossa amiga Phoebe nem acordou. Quando a luz estava acesa e tal, eu meio que fiquei um tempo olhando pra ela. Ela estava ali deitada dormindo, com o rosto meio que na lateral do travesseiro. Estava com a boca bem aberta. É engraçado. Você veja lá os adultos, eles ficam com uma cara nojenta quando estão dormindo de boca aberta, mas criança não. Criança fica com uma cara legal. Elas podem até estar com o travesseiro todo babado e ainda ficam com uma cara legal.

Eu andei pelo quarto, bem quietinho e tal, olhando as coisas um tempo. Eu estava supimpa, pra dar uma variada. Eu nem sentia mais que estava pegando pneumonia nem nada. Eu só estava legal, pra dar uma variada. As roupas da nossa amiga Phoebe estavam numa cadeira bem do ladinho da cama. Ela é bem arrumadinha, pra uma criança. Quer dizer, ela não joga simplesmente as coisas por todo lado, que nem algumas crianças. Ela não é bagunceira. Ela tinha pendurado no encosto da cadeira o paletó de um conjuntinho marrom que a minha mãe comprou pra ela no Canadá. Aí a blusa e coisa e tal estavam no assento. Os sapatos e as meias estavam no chão, bem embaixo da cadeira, um do ladinho do outro. Eu nunca tinha visto aquele sapato. Era novo. Era um mocassim marrom-escuro, meio que parecido com um par que eu tenho, e ficava bem bacana com aquele conjuntinho que a minha mãe comprou pra ela no Canadá. A minha mãe veste ela bem legal. Veste mesmo. A minha mãe tem um gosto sensacional pra certas coisas. Ela não presta pra comprar patins de gelo nem nada assim, mas roupa, aí ela é perfeita. Quer dizer, a Phoebe sempre está com algum vestido que é de te matar. Você veja lá a maioria das criancinhas, mesmo quando os pais delas são ricos e tal, elas normalmente estão com algum vestido horrendo. Queria que você pudesse ver a nossa amiga Phoebe com aquele conjunto que a minha mãe comprou pra ela no Canadá. Sem brincadeira.

Eu sentei na mesa do nosso amigo D.B. e dei uma olhada nas coisas que estavam ali. Eram em geral as coisas da Phoebe, da escola e tal. Livros, em geral. O que estava por cima se chamava *Aritmética é diversão!*. Eu meio que abri na primeira página e dei uma espiada. Era isso que a nossa amiga Phoebe tinha ali:

PHOEBE WEATHERFIELD CAULFIELD
4B-1

Aquilo me matou. O segundo nome dela é Josephine, meu Deus do céu, e não Weatherfield. Só que ela não gosta. Toda vez que eu vejo a nossa amiga Phoebe ela arranjou um segundo nome novo.

O livro por baixo do de aritmética era de geografia, e o livro por baixo do de geografia era uma cartilha. Ela é muito boa pra soletrar. Ela é muito boa em todas as matérias, mas especialmente em soletrar. Aí, por baixo da cartilha, tinha um monte de caderno. Ela tem uns cinco mil cadernos. Você nunca viu uma menina com mais caderno. Eu abri o de cima e olhei a primeira página. Estava escrito:

Bernice me encontre no recreio eu tenho uma coisa muito mas muito importante pra te contar.

E era só isso naquela página. Na seguinte estava escrito:

Por que no sudeste do Alasca existem tantas
fábricas de enlatados?
Porque tem muito salmão
Por que existem preciosas florestas lá?
porque tem o clima certo.
O que nosso governo fez
para melhorar a vida dos esquimós do Alasca?
pesquisar para amanhã!!!
Phoebe Weatherfield Caulfield
Phoebe Weatherfield Caulfield
Phoebe Weatherfield Caulfield
Phoebe W. Caulfield
Phoebe Weatherfield Caulfield, Nobre Senhora

Favor passar para a Shirley!!!
A Shirley disse que você era de sagitário
mas você é só touro traga os patins
quando for lá em casa

Eu fiquei ali sentado na mesa do D.B. e li o caderno inteiro. Não demorou muito, e eu consigo ficar lendo essas coisas, o caderno de alguma criança, da Phoebe ou de qualquer uma, o dia todo e a noite toda. Caderninho de criança me mata. Aí eu acendi outro cigarro — era o meu último. Eu devo ter fumado uns três maços naquele dia. Aí, finalmente, acordei ela. Quer dizer, eu não podia ficar ali sentado naquela mesa o resto da vida, fora que eu estava com medo que os meus pais pudessem entrar ali do nada e queria pelo menos dizer oi antes. Então acordei ela.

Ela acorda muito fácil. Quer dizer, você não precisa gritar com ela nem nada. A única coisa que você tem que fazer, praticamente, é sentar na cama e dizer, "Acorda, Phoeb", e abracadabra, ela acorda.

"*Hold*en!", ela disse logo de cara. Ela me deu um abraço e tal. Ela é muito apegada. Quer dizer, ela é bem apegada, pra uma criança. Às vezes ela é até apegada *demais*. Eu meio que dei um beijo nela, e ela disse, "Quando que você *chegou*?". Ela estava feliz pra diabo de me ver. Dava pra você perceber.

"Fala mais baixo. Agorinha mesmo. E como é que você tá?"

"Eu tô bem. Você recebeu a minha carta? Eu te escrevi uma de cinco páginas —"

"Recebi sim — mais baixinho. Obrigado."

Ela me escreveu a tal carta. Só que eu não tive oportunidade de responder. Falava só de uma peça em que ela estava na escola. Ela me disse pra não marcar nenhum encontro nem nada pra sexta, pra eu poder ir ver.

"Como é que está a peça?", eu perguntei. "Como é que você disse que era o nome?"

"*Um auto de Natal para os americanos*. É horrível, mas eu sou o Benedict Arnold. Eu tenho praticamente o maior papel", ela disse. Rapaz, ela estava pra lá de acordada. Ela fica muito empolgada quando te conta essas coisas. "Começa quando eu estou morrendo. Aparece esse fantasma na véspera do Natal e me pergunta se eu estou com vergonha e coisa e tal. Você sabe. De trair o meu país e coisa e tal. Você vai ver?" Ela estava sentadíssima na cama e tal. "Foi por isso que eu te escrevi. Você vai?"

"Claro que vou. Certamente que eu vou."

"O papai não pode. Ele tem que pegar um avião pra Califórnia", ela disse. Rapaz, ela estava acordadíssima. Ela só precisa de uns dois segundos pra ficar pra lá de acordada. Ela estava sentada — meio ajoelhada — retinha na cama, e estava segurando a desgraça da minha mão. "Escuta. A mamãe falou que você ia chegar na *quar*ta", ela disse. "Ela falou que era na *quar*ta."

"Eu saí mais cedo. Fala mais baixo. Você vai acordar todo mundo."

"Que horas são? Eles só vão chegar bem tarde, a mamãe disse. Eles foram pra uma festa em Norwalk, lá em Connecticut", a nossa amiga Phoebe disse. "Adivinha o que eu fiz hoje de tarde! Que filme que eu vi. Adivinha!"

"Eu não sei — Escuta. Eles não disseram que horas eles iam —"

"*The Doctor*", a nossa amiga Phoebe disse. "É um filme especial lá da Fundação Lister. Foi só um dia que passou — hoje foi o único dia. Era sobre um médico lá do Kentucky e coisa e tal que enfia um cobertor na cara de uma criança que é aleijadinha e não consegue andar. Aí eles mandam o médico pra cadeia e coisa e tal. Foi excelente."

"Escuta um segundo. Eles não disseram que horas eles iam —"

"Ele fica com pena, o médico. É por isso que ele coloca o cobertor na cara dela e coisa e tal e faz ela sufocar. Aí fazem ele ficar na cadeia perpétua, mas a tal da criança que ele sufocou com o cobertor em cima da cabeça aparece pra visitar ele o tempo todo e agradece pelo que ele fez. Ele era um assassino piedoso. Só que ele sabe que merece ir pra cadeia, porque um médico não devia tirar coisas de Deus. Foi a mãe de uma menina da minha turma que levou a gente. A Alice Holmborg. Ela é a minha melhor amiga. Ela é a única menina do mundo inteiro —"

"Você *me dá* um segundinho?", eu disse. "Eu estou te fazendo uma pergunta. Eles não disseram que horas eles iam voltar, por acaso?"

"Não, mas só bem tarde. O papai foi de carro e coisa e tal pra eles não terem que se preocupar com os trens. Agora a gente tem rádio no carro! Só que a mamãe disse que ninguém pode ligar quando o carro está no trânsito."

Eu comecei a relaxar, mais ou menos. Quer dizer, finalmente parei de ficar me preocu*pan*do se eles iam me pegar em casa ou não. Pensei, dane-se. Se me pegassem, me pegavam.

Você tinha que ter visto a nossa amiga Phoebe. Ela estava com um pijaminha azul com elefantes vermelhos na gola. Elefante é uma coisa que derruba ela.

"Então foi um filme bacana, hein?", eu disse.

"Joia, fora que a Alice estava resfriada, e a mãe dela ficava perguntando o tempo todo se ela estava sentindo que era gripe. Bem no meio do *fil*me. Sempre no meio de alguma coisa importante, a mãe dela se inclinava por cima de mim e coisa e tal e perguntava pra Alice se ela estava sentindo que era gripe. Aquilo me deu nos nervos."

Aí eu falei pra ela do disco. "Escuta, eu te comprei um disco", eu contei pra ela. "Só que eu quebrei no caminho."

Eu tirei os pedacinhos do bolso do casaco e mostrei pra ela. "Eu estava chumbado", eu falei.

"Me dá os pedacinhos", ela disse. "Eu vou guardar." Ela pegou tudo da minha mão e pôs numa gaveta do criado-mudo. Ela me mata.

"O D.B. vem passar o Natal em casa?", eu perguntei.

"Pode ser que sim e pode ser que não, a mamãe disse. Depende. Ele pode ter que ficar em Hollywood pra escrever um filme sobre Annapolis."

"Annapolis, meu Deus do céu!"

"É uma história de amor e coisa e tal. Adivinha quem vai estar no filme! Qual estrela de cinema. Adivinha!"

"Eu nem quero saber. An*nap*olis, meu Deus do céu. O que é que o D.B. sabe de An*nap*olis, meu Deus do céu? O que é que isso tem a ver com o tipo de conto que ele escreve?", eu disse. Rapaz, esse tipo de coisa me deixa louco. Maldita Hollywood. "O que foi que aconteceu com o teu braço?", eu perguntei. Percebi que ela estava com um pedação de esparadrapo no cotovelo. O motivo de eu ter percebido é que o pijama dela não tinha manga.

"Um menino, o Curtis Weintraub, que é da minha turma, me empurrou quando eu estava descendo a escada no parque", ela disse. "Quer ver?" Ela começou a tirar o esparadrapo do braço.

"Deixa isso aí. Por que foi que ele te empurrou na escada?"

"Não sei. Acho que ele me odeia", a nossa amiga Phoebe disse. "Eu e uma outra menina, a Selma Atterbury, colocamos tinta e coisa e tal no casaco dele."

"Isso não é legal. Você parece — criança, meu Deus do céu!"

"Mas toda vez que eu estou no parque, ele fica me seguindo por toda parte. Ele vive me seguindo. Ele me dá nos nervos."

"Ele provavelmente gosta de você. Isso não é motivo pra colocar tinta no —"

"Não quero que ele goste de mim", ela disse. Aí começou a me olhar de um jeito esquisito.

"Holden", ela disse, "como é que você não veio na *quar*ta?".

"O quê?"

Rapaz, você tem que ficar de olho nela o tempo todo. Se você não acha que ela é esperta, você pirou.

"Como é que você não veio na *quar*ta?", ela me perguntou. "Você não foi expulso nem nada, né?"

"Eu te disse. Eles liberaram a gente mais cedo. Eles deixaram todo —"

"Você foi expulso sim! Foi sim!", a nossa amiga Phoebe disse. Aí ela me socou a perna. Ela fica bem soquenta quando está a fim. "Você *foi* expulso! Ah, *Hol*den!" Ela estava com a mão na boca e tal. Ela fica muito emotiva, juro por Deus.

"Quem foi que disse que eu fui expulso? Ninguém disse que eu —"

"Foi *sim*. Foi *sim*", ela disse. Aí ela me bateu de novo com a mão fechada. Se você não acha que isso dói, você enlouqueceu. "O papai vai te *matar*!", ela disse. Aí ela se jogou de barriga na cama e pôs a desgraça do travesseiro por cima da cabeça. Ela faz isso com certa frequência. Às vezes ela é uma demente completa.

"Para com isso agora", eu disse. "Ninguém vai me matar. Ninguém vai nem — *Vai*, Phoebe, tira essa desgraça da cabeça. Ninguém vai me matar."

Só que ela não queria tirar. Você não consegue obrigar a Phoebe a fazer alguma coisa que ela não quer. Ela só ficava dizendo, "O papai vai te matar". Mal dava pra você entender o que ela dizia com a desgraça daquele travesseiro na cabeça.

"Ninguém vai me matar. Use a cabeça. Pra começo de conversa, eu vou embora. O que periga eu fazer é que eu posso arrumar um emprego numa fazenda ou sei lá o quê por um tempo. Eu conheço um cara e o pai dele tem uma fazenda no Colorado. Eu posso arrumar um emprego lá", eu disse. "Eu vou ficar em contato com você e tudo quando eu for, se eu for. Vai. Tira isso da cabeça. Anda, vai, Phoebe. Por favor. Por favor, tira?"

Ela não queria tirar, apesar de eu tentar arrancar, mas ela é forte pra diabo. Você cansa de lutar com ela. Rapaz, se ela quer deixar um travesseiro por cima da cabeça, ela deixa *mesmo*. "Phoebe, *por favor*. Sai daí de baixo", eu ficava dizendo. "Anda, vai... Ô Weatherfield. Sai daí."

Só que ela não queria sair. Às vezes não dá nem pra discutir com ela. Finalmente eu levantei e fui pra sala de estar e peguei uns cigarros da caixa que fica na mesa e meti no bolso. Eu estava sem.

22

Quando eu voltei, ela tinha tirado o travesseiro da cabeça sim — eu sabia que ela ia tirar —, mas ainda não queria olhar pra mim, apesar de estar deitada de costas e tal. Quando eu dei a volta na cama e sentei de novo, ela virou aquele rosto doido pro outro lado. Ela estava me hostilizando pra diabo. Igualzinho a equipe de esgrima da Pencey quando eu deixei a desgraça daquelas espadas todas no metrô.

"Como é que vai a nossa amiga Hazel Weatherfield?", eu disse. "Você andou escrevendo mais algum conto sobre ela? Eu estou com o que você me mandou lá na minha mala. Está lá na estação. É muito bom."

"O papai vai te *matar*."

Rapaz, quando ela mete uma ideia na cabeça, ela mete uma ideia na cabeça.

"Não, não vai. No máximo ele vai me infernizar de novo, e aí ele vai me mandar pra desgraça daquela escola militar. É só isso que ele vai fazer comigo. E pra *começo* de conversa eu nem vou estar por aqui. Eu vou estar longe. Eu vou estar — eu provavelmente vou estar no Colorado, naquela fazenda."

"Não seja ridículo. Você nem sabe andar de cavalo."

"Quem é que não sabe? Claro que eu sei. Certamente que eu sei. Eles te ensinam isso em coisa de dois minutos", eu disse. "Pare de cutucar isso aí." Ela estava cutucando aquele esparadrapo no braço. "Quem cortou o teu cabelo?", eu perguntei. Eu tinha acabado de perceber o corte idiota que alguém tinha feito. Estava curto demais.

"Não é problema teu", ela disse. Ela às vezes consegue ser bem ranheta. Ela consegue ser muito ranheta. "Imagino que você tenha reprovado em todas as matérias de novo", ela disse — bem ranheta. Era meio engraçado, também, até. Ela às vezes parece uma droga de uma professorinha, e ela é só uma criança.

"Não, não reprovei em tudo", eu disse. "Passei em inglês." Aí, só de farra, eu belisquei a bunda dela. Estava ali dando sopa, do jeito que ela estava deitada de lado. Ela mal tem bunda. Eu não fiz com força, mas ela tentou dar um tapa na minha mão mesmo assim, mas errou.

Aí, do nada, ela disse, "Ah, por que você foi *fazer* uma coisa dessas?". Ela estava falando de eu ter tomado um pé de novo. Eu fiquei meio triste quando ela falou desse jeito.

"Ah, meu Deus, Phoebe, não me pergunte. Eu estou de saco cheio de todo mundo ficar me perguntando isso", eu disse. "Tem um milhão de motivos. Era uma das piores escolas em que eu já estudei. Era cheia de fajutos. E de uns caras malvados. Você nunca viu tanto sujeito malvado junto na tua vida. Por exemplo, se você estava numa roda de conversa no quarto de alguém, e alguém queria entrar, ninguém deixava entrar se esse alguém fosse um sujeito bocó e espinhento. Todo mundo vivia tran*can*do a porta quando alguém queria entrar. E eles tinham uma desgraça de uma fraternidade secreta onde eu fui frouxo demais pra não entrar. Tinha lá um sujeito espinhento e chato, o Robert Ackley, que queria entrar. Ele ficava tentando entrar, e eles não deixavam. Só porque ele era chato e espinhento. Eu não tenho nem vontade de falar disso. Era uma escola horrorosa. Vai por mim."

A nossa amiga Phoebe não abriu a boca, mas estava prestando atenção. Dava pra ver na nuca da minha irmã que ela estava prestando atenção. Ela sempre presta atenção quando você conta alguma coisa. E o engraçado é que ela sabe, quase sempre, do que diabo você está falando. Sabe mesmo.

Eu fiquei falando da nossa amiga Pencey. Eu meio que estava a fim.

"Até os dois ou três professores mais *bacaninhas*, eles também eram fajutos", eu disse. "Tinha um velhote, o professor Spencer. A mulher dele vivia te dando chocolate quente e coisa e tal, e eles eram bacanas mesmo. Mas você tinha que ver o jeito dele quando o diretor, o nosso amigo Thurmer, entrava na turma de história e sentava no fundo da sala. Ele vivia entrando e ficando sentado no fundo da sala por uma meia horinha. Em teoria ele estava ali incógnito ou sei lá o quê. Depois de um tempo sentado lá atrás, ele começava a interromper o que o nosso amigo Spencer ia dizendo pra soltar um monte de piadinhas cafonas. O nosso amigo Spencer praticamente morria de rir e sorrir e tal, como se o Thurmer fosse uma merda de um príncipe ou sei lá o quê."

"Não fale tanto palavrão."

"Era de te fazer vomitar, juro que era", eu disse. "Aí, no Dia dos Veteranos. Eles têm esse dia, o Dia dos Veteranos, que todos os panacas que se formaram na Pencey lá em 1776 mais ou menos voltam e ficam andando pra tudo quanto é lado, com as mulheres e os filhos e todo mundo. Você tinha que ver um velhote que tinha lá os seus cinquenta anos. O que ele fez foi que ele veio até o nosso quarto e bateu na porta e perguntou se a gente se incomodava dele usar o banheiro. O banheiro ficava no fim do corredor — não sei por que diabos ele perguntou pra *gente*. Sabe o que ele disse? Ele disse que queria ver se as iniciais dele ainda estavam na porta de uma das privadas. O que o desgraçado fez foi que ele entalhou aquelas iniciais idiotas e tristonhas numa das portas coisa de uns noventa anos atrás, e queria ver se elas ainda estavam lá. Então o meu colega de quarto e eu fomos com ele até o banheiro e tal, e a gente teve que ficar lá enquanto ele procurava as iniciais e tal na porta das privadas. Ele ficou falando com a gente o tempo todo, dizendo que o tempo que ele passou na Pencey foi o mais feliz da vida dele, e dando um monte de conselhos pro futuro e tal. Rapaz, como ele me deprimiu! Eu não estou dizendo que ele era um mau sujeito — não era. Mas você não precisa ser um mau sujeito pra deprimir os outros — você pode ser *bacana* e deprimir mesmo assim. A única coisa que você precisa fazer pra deprimir alguém é dar um monte de conselhos fajutos enquanto fica procurando as tuas iniciais numa porta de privada — você só precisa fazer isso. Sei lá. Talvez não tivesse sido tão ruim se ele não estivesse todo sem fôlego. Ele ficou todo sem fôlego só de subir a escada, e o tempo todo que ficou procurando as iniciais ele ia respirando pesado, com as narinas esquisitas e tristonhas dele, enquanto ficava dizendo pra mim e pro Stradlater pra gente tirar tudo que podia do nosso tempo na Pencey. Jesus, Phoebe! Eu não consigo explicar. Eu simplesmente não gostava de nada que estava acontecendo na Pencey. Eu não consigo explicar."

Aí a nossa amiga Phoebe falou um negócio, mas eu não consegui escutar. Ela estava com a lateral da boca grudada no travesseiro, e eu não consegui escutar.

"O quê?", eu disse. "Tire a boca daí. Eu não consigo te entender com a tua boca desse jeito."

"Você não gosta de *na*da que está acontecendo."

Eu fiquei mais deprimido ainda quando ela falou aquilo.

"Gosto sim. Gosto sim. *Claro* que eu gosto. Não diga um negócio desses. Por que diabos você me diz um negócio desses?"

"Porque você não gosta. Você não gosta de nenhuma escola. Não gosta de um milhão de coisas. *Não* gosta."

"Gosto sim! Aí que você se engana — é bem aí que você se engana! Por que diabos você tem que me dizer um negócio desses?", eu falei. Rapaz, como ela estava me deixando deprimido.

"Porque você não gosta", ela disse. "Diga uma coisa."

"Uma coisa? Uma coisa que eu gosto?", eu disse. "Está certo."

O problema era que eu não estava conseguindo me concentrar legal. Às vezes é duro se concentrar.

"Uma coisa que eu gosto muito, você está dizendo?", eu perguntei.

Só que ela não me respondeu. Ela estava numa posição alopradas lá do outro lado do diabo da cama. Estava a uns mil quilômetros de distância. "Vem me responder", eu disse. "Uma coisa que eu gosto muito, ou uma coisa que eu só gosto?"

"Que você gosta muito."

"Tudo bem", eu disse. Mas o problema era que eu não estava conseguindo me concentrar. Meio que a única coisa que eu conseguia pensar era naquelas duas freiras que andavam por aí arrecadando grana com aquelas cestinhas batidas de palha. Especialmente naquela dos óculos de aro de ferro. E num menino que eu conheci lá na Elkton Hills. Tinha lá um menino na Elkton Hills, chamado James Castle, que não quis retirar uma coisa que disse sobre um menino todo cheio de si, o Phil Stabile. O James Castle disse que ele era um sujeito cheio de si, e um dos amigos nojentinhos do Stabile foi lá e dedou pro Stabile. Aí o Stabile, com mais uns seis filhos da puta nojentos, foi até o quarto do James Castle e entrou e trancou a merda da porta e tentou fazer ele retirar o que tinha dito, mas ele não quis. Aí eles caíram matando. Não vou nem te contar o que fizeram com ele — é repulsivo demais —, mas ele *ainda* não quis retirar, o nosso amigo James Castle. E você tinha que ver o cara. Era um sujeitinho magrelo com jeito de fracote, uns bracinhos de macarrão. Finalmente o que ele fez, em vez de retirar o que tinha dito, foi que ele pulou pela janela. Eu estava no *chuveiro* e tal, e até *eu* ouvi ele cair lá fora. Mas só pensei que alguma coisa tinha caído da janela, um rádio ou uma mesa ou sei lá o quê, não um *menino* nem nada. Aí eu ouvi todo mundo correndo pelo corredor e pela escada, então vesti o meu roupão e desci correndo a escada também, e lá estava o nosso amigo James Castle estirado nos degraus de pedra e tal. Ele estava morto, e os dentes, e o sangue dele, estavam pra tudo quanto é lado, e ninguém queria nem chegar perto. Ele estava com uma blusa de gola rulê que eu tinha emprestado pra ele. A única coisa que fizeram com os caras que estavam naquele quarto com ele foi expulsar. Eles nem foram pra cadeia.

Mas era meio que só nisso que eu conseguia pensar. Naquelas duas freiras que eu vi no café da manhã e nesse menino chamado James Castle que eu conheci na Elkton Hills. A parte engraçada é que eu mal conhecia o James Castle, se você quer saber a verdade. Ele era desses sujeitos bem quietos. Estava na minha turma de matemática, mas ficava bem lá do outro lado da sala, e quase nunca levantava pra dizer a tabuada ou ir pra lousa e tal. Tem uns caras na escola que quase nunca levantam pra dizer a tabuada ou ir pra lousa. Acho que a única vez que eu conversei com ele foi naquela vez que ele me perguntou se podia pegar emprestada aquela blusa de gola rulê que eu tinha. Eu quase caí mortinho quando ele me pediu, de tão surpreso e tal. Eu lembro que estava escovando os dentes, no banheiro, quando ele pediu. Ele disse que um primo vinha levar ele pra um passeio de carro e tal. Eu nem sabia que ele sabia que eu *tinha* uma blusa de gola rulê. A única coisa que eu sabia dele era que o nome dele vinha logo antes do meu na chamada. Cabel, R., Cabel, W., Castle, Caulfield — eu ainda lembro. Se você quer saber a verdade, eu quase não *emprestei* a blusa. Só porque não conhecia muito bem o sujeito.

"O quê?", eu disse pra nossa amiga Phoebe. Ela me disse alguma coisa, mas eu não entendi.

"Você não consegue nem pensar numa coisinha só."

"Consigo sim. Consigo sim."

"Bom, então pense."

"Eu gosto do Allie", eu disse. "E eu gosto de fazer o que eu estou fazendo agora mesmo. Ficar aqui sentado com você, e conversar, e pensar nas coisas e —"

"O Allie *morreu* — Você sempre fala isso! Se a pessoa morreu e coisa e tal, e está no *céu*, aí não vale mais —"

"Eu sei que ele morreu! Você acha que eu não sei? Só que eu ainda posso gostar dele, não posso? Só porque alguém morreu, você não para simplesmente de gostar da pessoa, meu Deus do céu — especialmente se a pessoa era umas mil vezes mais bacana que as outras que você conhece e que estão *vi*vas e tal."

A nossa amiga Phoebe não abriu a boca. Quando não consegue pensar no que dizer, ela não diz droga nenhuma.

"Enfim, eu gosto disso agora", eu disse. "Eu estou falando disso, aqui, agora. Sentado aqui com você e só batendo papo e ficando de —"

"Mas isso nem é *na*da!"

"Mas claro que *é*! Certamente que é! Por que diabos não é? As pessoas nunca pensam que as coisas *são* alguma coisa. Eu estou ficando de saco cheio dessa merda."

"Pare de falar palavrão. Tudo bem, diga outra coisa. Diga alguma coisa que você queria *ser*. Cientista, por exemplo. Ou advo*ga*do ou sei lá o quê."

"Eu não ia poder ser cientista. Eu sou horrível em ciências."

"Bom, advogado — que nem o papai e tal."

"Advogado é bacana, até — mas não me dá vontade", eu disse. "Quer dizer, eles são bacanas se ficam por aí salvando a vida dos caras inocentes o tempo todo, e essas coisas assim, mas você não *faz* isso aí se for advogado. A única coisa que você faz é ganhar muita grana e jogar golfe e jogar bridge e comprar carros e tomar martínis e posar de figurão. E aliás. Mesmo que você *ficasse* salvando a vida dos outros e tal, como é que você ia saber se fez aquilo porque *queria* mesmo salvar a vida dos caras, ou porque o que você queria *mes*mo era ser um advogado sensacional, com todo mundo te dando tapinhas nas costas e te parabenizando no tribunal quando a desgraça do julgamento acabasse, os repórteres e todo mundo lá, que nem nesses filmes nojentos? Como é que você ia saber que não estava sendo fajuto? O problema é que *não ia ter como*."

Eu não sei muito bem se a nossa amiga Phoebe sabia do que diabo eu estava falando. Quer dizer, ela é criancinha e tal. Mas pelo menos ela estava prestando atenção. Se a pessoa pelo menos presta atenção, não é tão ruim.

"O papai vai te matar. Ele vai te *matar*", ela disse.

Só que eu não estava ouvindo. Estava pensando em outra coisa — uma coisa doida. "Sabe o que eu queria ser?", eu disse. "Sabe o que eu queria ser? Quer dizer, se eu pudesse escolher qualquer merda?"

"O quê? Pare de falar pala*vrão*."

"Você conhece aquela musiquinha, 'Se alguém apanha alguém que vem pelo campo de centeio'? Eu ia querer —"

"É 'Se alguém *encontra* alguém que vem pelo campo de centeio'!", a nossa amiga Phoebe disse. "É um poema. Do Robert *Burns*."

"Eu *sei* que é um poema do Robert Burns."

Só que ela tinha razão. *É* "Se alguém encontra alguém que vem pelo campo de centeio". Só que na época eu não sabia.

"Eu achava que era 'Se alguém apanha alguém'", eu disse. "Enfim, eu fico imaginando um monte de criancinhas brincando de alguma coisa num campo imenso de centeio e tal.

Milhares de criancinhas, e ninguém está por ali — ninguém adulto, assim — fora eu. E eu estou parado na borda de um penhasco maluco. O que eu tenho que fazer é que eu tenho que pegar todo mundo se eles forem cair do penhasco — quer dizer, se eles estiverem correndo e não olharem pra onde vão eu tenho que aparecer de algum lugar e *apanhar* eles. Era a única coisa que eu ia fazer o dia todo. Eu ia ser o apanhador no campo de centeio e tal. Eu sei que é doido, mas é a única coisa que eu queria ser de verdade. Eu sei que é doido."

A nossa amiga Phoebe ficou de boca fechada por um tempão. Aí, quando disse alguma coisa, a única coisa que ela disse foi, "O papai vai te matar".

"Estou pouco me lixando", eu disse. Aí eu levantei da cama, porque o que eu queria fazer era que eu queria telefonar pra um carinha que foi meu professor de inglês na Elkton Hills, o professor Antolini. Ele agora estava morando em Nova York. Saiu da Elkton Hills. Ele foi trabalhar dando aula de inglês na Universidade de Nova York. "Eu tenho que dar um telefonema", eu disse pra Phoebe. "Eu volto já. Não vá dormir." Eu não queria que ela fosse dormir enquanto eu estava na sala. Eu sabia que ela não ia dormir, mas disse aquilo mesmo assim, só pra garantir.

Enquanto eu ia até a porta, a nossa amiga Phoebe disse, "Holden!", e eu me virei.

Ela estava sentada bem retinha na cama. Estava tão bonitinha. "Eu estou fazendo aula de arroto com uma menina, a Phyllis Margulies", ela disse. "Escuta só."

Eu escutei, e ouvi al*gu*ma coisa, mas não foi nada de mais. "Bem bom", eu disse. Aí fui pra sala e liguei pra esse meu antigo professor, o professor Antolini.

23

Eu fui rapidinho na ligação porque estava com medo que os meus pais aparecessem bem no meio. Só que não apareceram. O professor Antolini foi muito simpático. Ele falou que eu podia passar lá agora mesmo se quisesse. Acho que eu provavelmente acordei ele e a mulher, porque eles levaram um tempão pra atender o telefone. A primeira coisa que ele perguntou foi se tinha alguma coisa errada, e eu disse que não. Só que eu disse que tinha reprovado na Pencey. Achei melhor contar de uma vez. Ele disse "Santo Deus" quando eu falei isso. Ele tinha um belo senso de humor e tal. Ele me falou pra passar lá agora mesmo se eu quisesse.

Ele era praticamente o melhor professor que eu tive na vida, o professor Antolini. Era um sujeito bem novo, não muito mais velho que o meu irmão D.B., e dava pra falar bobagem com ele sem perder o respeito. Foi ele o cara que finalmente pegou o menino que pulou da janela, que eu te falei, o James Castle. O nosso amigo professor Antolini sentiu o pulso dele e tal, e aí tirou o casaco e colocou por cima do James Castle e levou o menino até lá na enfermaria. Ele nem se importou se o casaco dele ia ficar todo cheio de sangue.

Quando eu voltei pro quarto do D.B., a nossa amiga Phoebe tinha ligado o rádio. Estava tocando uma música dançante. Só que ela ligou baixinho, pra empregada não ouvir. Você tinha que ver ela ali. Estava sentada bem no meio da cama, por cima das cobertas, com as pernas dobradas que nem aqueles iogues. Estava ouvindo a música. Ela me mata.

"Vem", eu disse. "Está a fim de dançar?" Eu ensinei ela a dançar e tal quando ela era bem pequenininha. Ela é uma dançarina excelente. Quer dizer, eu só ensinei umas coisinhas. Ela aprendeu basicamente sozinha. Não dá pra você ensinar uma pessoa a dançar *de verdade*.

"Você está de sapato", ela disse.

"Eu tiro. Vem."

Ela praticamente pulou da cama, e aí ficou esperando enquanto eu tirava o sapato, e aí eu dancei um tempo com ela. Ela é boa mesmo nisso. Eu não gosto de gente que dança com criancinha, porque quase sempre fica um horror. Quer dizer, se você está num restaurante por aí e vê um velhote levar a filhinha pra pista de dança. Normalmente eles ficam levantando o vestido da criança atrás sem querer, e a menina nem sabe dançar na*di*nha, e fica um horror, mas eu não faço isso em público com a Phoebe nem nada. A gente só fica de bobeira em casa. E é diferente com ela, porque ela sabe *dançar*. Ela consegue acompanhar tudo que você fizer. Quer dizer, se você segura ela apertada pra diabo pra não fazer diferença o tamanho das tuas pernas. Ela fica bem ali com você. Você pode jogar ela pra trás, ou fazer aquelas derrubadas cafonas, ou até dançar um swing, e ela fica bem ali. Dá até pra você dançar *tan*go, meu Deus do céu.

A gente dançou umas quatro músicas. Entre as músicas ela é engraçada pra diabo. Ela fica bem em posição. Sem falar nem nada. Os dois têm que ficar bem em posição e esperar a banda começar a tocar de novo. Isso me mata. E você também não pode rir nem nada.

Enfim, a gente dançou umas quatro músicas, e aí desligou o rádio. A nossa amiga Phoebe pulou de volta pra cama e se cobriu. "Eu estou melhorando, não estou?", ela me perguntou.

"E como", eu disse. Eu sentei de novo na cama do lado dela. Eu estava meio que sem ar. Andava fumando tanto que mal tinha fôlego. Ela nem estava sem ar.

"Sente a minha testa", ela disse, do nada.

"Por quê?"

"*Sente*. Só uma vez."

Eu senti. Só que não percebi nada.

"Está muito febril?", ela disse.

"Não. Era pra estar?"

"Era — eu estou fazendo ficar. Sente de novo."

Eu senti de novo, e ainda não percebi nada, mas disse, "Acho que está começando, agora". Eu não queria que ela ficasse com a desgraça de um complexo de inferioridade.

Ela fez que sim com a cabeça. "Eu consigo fazer subir até o termônetro."

"Ter*môme*tro. Quem foi que disse?"

"A Alice Holmborg que me mostrou. Você cruza as pernas e prende a respiração e pensa em alguma coisa muito, mas muito quente mesmo. Um aquecedor ou sei lá o quê. Aí a tua testa toda começa a ficar tão quente que dá pra você queimar a mão de alguém."

Aquela me matou. Eu tirei a mão da testa dela, como se estivesse correndo um perigo horroroso. "Obrigado por me avi*sar*", eu disse.

"Ah, eu não ia ter queimado a *tua* mão. Eu ia parar antes de ficar — *Psiu!*" Aí, rápido pra diabo, ela sentou bem retinha no diabo da cama.

Ela me assustou pra diabo quando fez aquilo. "O que foi?", eu disse.

"A porta da frente!", ela disse num sussurro bem alto. "São eles!"

Eu levantei rapidinho e corri pra apagar a luz em cima da mesa. Aí apaguei o cigarro no sapato e guardei no bolso.

Aí eu abanei adoidado, pra fazer a fumaça sair — eu não devia nem estar fumando, meu Deus do céu. Aí eu peguei os sapatos e entrei no closet e fechei a porta. Rapaz, o meu coração estava batendo feito um filho da puta.

Ouvi a minha mãe entrar no quarto.

"Phoebe?", ela disse. "Agora, pode parar com isso. Eu vi a luz acesa, mocinha."

"Oi!", eu ouvi a nossa amiga Phoebe dizer. "Eu não estava conseguindo dormir. Vocês se divertiram?"

"Foi uma maravilha", a minha mãe disse, mas dava pra você ver que ela não estava falando sério. Ela não se diverte muito quando sai. "Por que você está acordada, posso saber? Você não estava quentinha?"

"Eu estava quentinha, eu só não estava conseguindo dormir."

"Phoebe, você andou fumando aqui? Diga a verdade, por favor, mocinha."

"O quê?", a nossa amiga Phoebe disse.

"Você me escutou."

"Eu só acendi um rapidinho. Eu só dei *uma tragada*. Aí joguei pela janela."

"*Por quê*, posso perguntar?"

"Eu não estava conseguindo dormir."

"Eu não estou gostando disso, Phoebe. Não estou gostando nem um pouco disso", a minha mãe falou. "Quer outro cobertor?"

"Não, obrigada. Boa noite!", a nossa amiga Phoebe disse. Estava tentando se livrar dela, dava pra você ver.

"Como foi o filme?", a minha mãe disse.

"Excelente. Fora a mãe da Alice. Ela ficou se esticando e perguntando se ela estava sentindo que era gripe, o filme inteiro. A gente veio de táxi pra casa."

"Deixa eu sentir a tua testa."

"Eu não peguei nada. Ela não tinha nada. Era só a mãe dela."

"Bom. Vá dormir agora. Como foi o teu jantar?"

"Uma porcaria", a Phoebe disse.

"Você ouviu o que o teu pai disse de você usar essa palavra. O que é que tinha de porcaria ali? Você comeu uma costeleta de cordeiro perfeita. Eu andei pela avenida Lexington inteirinha só para —"

"A costeleta estava bacana, mas a Charlene sempre *respira* em mim quando serve alguma coisa. Ela respira na comida toda e coisa e tal. Ela *respira* em tudo."

"Bom. Vá dormir. Dá um beijo na mamãe. Você fez as tuas orações?"

"Eu fiz no banheiro. Boa noite!"

"Boa noite. Agora, dorme. Eu estou com a cabeça explodindo de dor", a minha mãe disse. Ela tem dor de cabeça com certa frequência. Tem mesmo.

"Tome umas aspirinas", a nossa amiga Phoebe disse. "O Holden chega quarta, né?"

"Até onde eu sei. Se cubra aí agora. Bem direitinho."

Eu ouvi a minha mãe sair e fechar a porta. Esperei uns minutos. Aí saí do closet. Eu dei de cara com a nossa amiga Phoebe quando saí, porque estava pra lá de escuro e ela tinha levantado da cama e estava vindo me contar. "Eu te machuquei?", eu disse. Você tinha que sussurrar agora, porque os dois estavam em casa. "Eu tenho que me mandar", eu falei. Eu achei a beira da cama no escuro e sentei e fui calçar os sapatos. Eu estava bem nervoso. Isso eu não vou negar.

"Não vá *agora*", a Phoebe sussurrou. "Espera eles dormirem!"

"Não. Agora. Agora é a melhor hora", eu disse. "Ela vai estar no banheiro e o papai vai ligar o noticiário ou sei lá o quê. Agora é a melhor hora." Eu mal conseguia amarrar os cadarços, de tão nervoso. Não que eles fossem ter me *matado* nem nada se me pegassem em casa, mas ia ter sido bem desagradável e tal. "Onde diabos você está?", eu disse pra nossa amiga Phoebe. Estava tão escuro que ela ficava invisível.

"Aqui." Ela estava de pé bem pertinho de mim. Eu nem vi.

"Eu deixei a desgraça das minhas malas na estação", eu disse. "Escuta. Você tem algum dinheiro, Phoeb? Eu estou praticamente duro."

"Só a minha grana de Natal. Pros presentes e tal. Eu ainda *nem* fiz as compras."

"Ah." Eu não queria pegar a grana de Natal dela.

"Quer um pouco?", ela disse.

"Eu não quero pegar a tua grana de Natal."

"Eu posso te emprestar *um pouco*", ela disse. Aí eu ouvi que ela foi até a mesa do D.B., abriu um milhão de gavetas e tateou com a mão. A gente estava nas trevas, de tão escuro que estava o quarto. "Se você for embora, não vai me ver na peça", ela disse. A voz dela ficou esquisita quando ela disse isso.

"Vou. Vou sim. Eu não vou embora antes. Você acha que eu quero perder essa peça?", eu disse. "O que eu vou fazer é que eu provavelmente vou ficar na casa do professor Antolini até terça de noite, quem sabe. Aí eu venho pra casa. Se eu tiver como, eu te ligo."

"Toma", a nossa amiga Phoebe disse. Ela estava tentando me dar a grana, mas não conseguia achar a minha mão.

"Cadê?"

Ela pôs a grana na minha mão.

"Ah, eu não preciso de tudo isso", eu disse. "Só me dê duas pratas, e pronto. Sem brincadeira — Toma." Eu tentei devolver pra ela, mas ela não aceitava.

"Pode ficar com tudo. Você me paga depois. Leve lá na peça."

"Quanto que é, meu Deus do céu?"

"Oito dólares e oitenta e cinco centavos. Ses*senta* e cinco centavos. Eu gastei um pouquinho."

Aí, do nada, eu comecei a chorar. Não consegui segurar. Eu dei um jeito de ninguém ouvir, mas chorei. A nossa amiga Phoebe ficou assustada pra diabo quando eu comecei, e veio e tentou me fazer parar, mas depois que você começa, não é mole parar assim, *sem mais nem menos*. Eu ainda estava sentado na beira da cama quando comecei, e ela colocou aquele bracinho no meu pescoço, e eu abracei ela também, mas ainda assim fiquei um tempão sem conseguir parar. Eu achei que ia morrer afogado ou sei lá o quê. Rapaz, a nossa amiga Phoebe ficou assustada pra diabo. A desgraça da janela estava aberta e coisa e tal, e dava pra eu sentir ela tremendo e tal, porque ela só estava de pijama. Eu tentei fazer ela voltar pra cama, mas ela não queria. Finalmente eu parei. Mas certamente que demorou muito, mas muito tempo mesmo. Aí eu terminei de abotoar o casaco e tal. Eu falei pra ela que a gente ia ficar em contato. Ela me disse que eu podia dormir com ela se quisesse, mas eu disse que não, que era melhor eu me mandar, que o professor Antolini estava me esperando e tal. Aí eu tirei o meu boné de caçador do bolso do casaco e dei pra ela. Ela gosta desses bonés malucos. Ela não queria ficar com ele, mas eu obriguei. Aposto que ela dormiu de boné. Ela gosta mesmo daquele tipo de boné. Aí eu disse de novo pra ela que ia dar uma ligada se tivesse como, e aí eu fui embora.

Foi muitíssimo mais fácil sair da casa do que entrar, por alguma razão. Pra começo de conversa, eu nem estava mais me lixando muito se eles me pegassem. Não mesmo. Pensei que se me pegassem, me pegavam. Quase torci pra me pegarem, até.

Eu desci tudo de escada, em vez de pegar o elevador. Desci pela escada dos fundos. Quase quebrei o pescoço nuns dez milhões de cestos de lixo, mas consegui sair sim. O ascensorista nem me viu. Ele provavelmente *ainda* está achando que eu estou lá nos Dickstein.

24

O professor Antolini e a mulher dele tinham um apartamento todo grã-fino lá em Sutton Place, com dois degraus que você tinha que descer pra chegar na sala de estar, e um bar e tal. Eu já tinha ido lá umas vezes, porque depois que eu saí da Elkton Hills o professor Antolini ia jantar na nossa casa com certa frequência pra ver como eu estava indo. Ele não era casado naquela época. Aí quando ele casou eu jogava tênis com ele e com a sra. Antolini com certa frequência, lá no West Side Tennis Club, em Forest Hills, Long Island. Aquilo era a cara da sra. Antolini. Ela era podre de rica. Era uns sessenta anos mais velha que o professor Antolini, mas parecia que eles se davam bem. Pra começo de conversa, os dois eram bem intelectuais, especialmente o professor Antolini, só que ele era mais espirituoso que intelectual quando você estava com ele, mais ou menos que nem o D.B. A sra. Antolini em geral era séria. Ela tinha uma asma bem pesada. Os dois leram todos os contos do D.B. — a sra. Antolini também — e quando o D.B. foi pra Hollywood, o professor Antolini ligou pra ele e disse pra ele não ir. Só que ele foi mesmo assim. O professor Antolini disse que qualquer pessoa que soubesse escrever que nem o D.B. escrevia não tinha nada que ir pra Hollywood. Foi exatamente o que eu disse, praticamente.

Eu iria a pé até a casa deles, porque não queria gastar mais da grana de Natal da Phoebe do que eu precisasse gastar, mas me senti esquisito quando saí do prédio. Meio tonto.

Então peguei um táxi. Eu não queria, mas peguei. Deu um trabalho desgramado até pra *achar* um táxi.

O nosso amigo professor Antolini veio abrir a porta quando eu toquei a campainha — depois que o ascensorista final*men*te me deixou entrar, o filho de uma puta. O professor estava de roupão e de chinelo, e tinha uma bebida na mão. Era um sujeito bem sofisticado, e bem bom de copo. "Holden, meu garoto!", ele disse. "Meu Deus, ele cresceu mais trinta centímetros. Bom te ver."

"Como vai, professor Antolini? Como vai a sra. Antolini?"

"Nós estamos perfeitos. Vamos pegar esse casaco aí." Ele tirou o meu casaco de mim e pendurou. "Eu estava esperando te ver com um recém-nascido nos braços. Sem ter aonde ir. Flocos de neve nos cílios." Ele é um sujeito bem espirituoso às vezes. Ele se virou e berrou pra cozinha, "Lillian! O café está saindo?". Lillian era o primeiro nome da sra. Antolini.

"Já está quase pronto", ela berrou de volta. "É o Holden? Oi, Holden!"

"Oi, sra. Antolini!"

Você vivia gritando quando estava lá. Isso é porque os dois nunca estavam no mesmo cômodo ao mesmo tempo. Era meio engraçado até.

"Senta, Holden", o professor Antolini disse. Dava pra você ver que ele estava um pouquinho alto. Parecia que eles tinham acabado de dar uma festa naquela sala. Tinha copo pra tudo quanto é lado, e pratinhos com amendoins. "Desculpa a aparência da casa", ele disse. "Nós estávamos recebendo uns amigos de Buffalo da sra. Antolini... Uns búfalos, a bem da verdade."

Eu ri, e a sra. Antolini berrou alguma coisa pra mim lá da cozinha, mas eu não consegui entender. "O que foi que ela disse?", eu perguntei ao professor Antolini.

"Ela disse pra não olhar pra ela quando ela entrar. Ela acabou de sair da cama. Pegue um cigarro. Você fuma agora?"

"Obrigado", eu disse. Peguei um cigarro da caixa que ele me ofereceu. "Só de vez em quando. Eu sou um fumante moderado."

"Aposto que é mesmo", ele disse. Ele me deu fogo com um isqueiro grandão que ficava na mesa. "Então. Você e Pencey não são mais um casal", ele disse. Ele sempre dizia as coisas desse jeito. Às vezes isso me divertia muito e às vezes não. Ele meio que fazia isso um pouco *demais*. Eu não estou dizendo que ele não era espirituoso nem nada — porque era —, mas às vezes dá nos nervos quando alguém *vi*ve dizendo umas coisas que nem "então você e a Pencey não são mais um casal". O D.B. faz isso demais às vezes também.

"Qual foi o problema?", o professor Antolini me perguntou. "Como você foi em inglês? Eu te ponho da porta pra fora num átimo se você reprovou em inglês, seu geniozinho das redações escolares."

"Ah, eu passei em inglês sim. Só que foi quase só literatura. Eu só escrevi umas duas redações o semestre todo", eu disse. "Só que eu reprovei em expressão oral. Eles tinham essa tal matéria que você tinha que fazer, de expressão oral. *Nessa* eu reprovei."

"Por quê?"

"Ah, sei lá." Eu não estava com muita vontade de falar daquilo. Ainda estava meio tonto ou sei lá o quê e, do nada, me deu uma dor de cabeça dos infernos. Deu mesmo. Mas dava pra você ver que ele estava interessado, então eu falei um pouquinho daquilo. "É uma matéria em que cada aluno da turma tem que ficar de pé na aula e fazer um discurso. O senhor sabe. Espontâneo e tal. E se o menino começa a sair do assunto, você tem que gritar 'Digressão!' o mais rápido que puder. Aquilo me deixava quase louco. Eu tirei um *F*."

"Por quê?"

"Ah, sei lá. Aquela coisa da digressão me dava nos nervos. Sei lá. O problema comigo é que eu *gosto* quando as pessoas entram numa digressão. É mais interes*san*te e tal."

"Você não prefere que a pessoa seja objetiva quando está te contando alguma coisa?"

"Ah, claro! Eu gosto que a pessoa seja objetiva e tal. Mas não gosto que ela seja objetiva *demais*. Sei lá. Acho que eu não gosto quando a pessoa é objetiva o tempo *todo*. Os meninos que ganharam as melhores notas em expressão oral foram os que ficaram objetivos do começo até o fim — isso eu não vou negar. Mas tinha lá um menino, o Richard Kinsella. Ele não era objetivo demais, e eles viviam gritando 'Digressão!' pra ele. Era horrível, porque pra começo de conversa ele era um sujeito pra lá de nervoso — quer dizer, ele era pra lá de nervoso — e vivia com a boca tremendo quando era a vez dele fazer um discurso, e mal dava pra ouvir o sujeito se você estivesse sentado bem lá no fundão da sala. Só que quando a boca dele parava de tremer um pouquinho, eu gostava mais dos discursos dele do que de qualquer outro. Só que ele praticamente reprovou na matéria, também. Levou um *D+* porque ficavam berrando 'Digressão!' pra ele o tempo todo. Por exemplo, ele fez lá um discurso sobre uma fazenda que o pai dele comprou em Vermont. Eles ficaram gritando 'Digressão!' pra ele o tempo todo enquanto ele falava, e o professor, o sr. Vinson, deu um *F* pra ele porque ele não tinha dito que tipo de animais e de plantas e coisa e tal a fazenda cultivava. O que ele fazia, o Richard Kinsella, era que ele ia *começando* a te falar dessas coisas todas — aí, do nada, começava a falar de uma carta que a mãe recebeu do tio dele, e de como o tio teve pólio e tal quando estava com quarenta e dois anos de idade, e de como ele não deixava ninguém ir visitar no hospital porque não queria que ninguém visse ele com o aparelho. Não tinha muito a ver com a fazenda — isso eu não vou negar —, mas foi *bacana*. É bacana quando alguém te fala do tio. Especialmente quando começa falando da fazenda do pai e aí, do nada, fica mais interessado no tio. Quer dizer, é sujeira ficar berrando 'Digressão!' pro cara quando ele está todo empolgadinho. Sei lá. É difícil de explicar." E eu também não estava muito a fim de explicar. Pra começo de conversa, eu estava com uma dor de cabeça horrorosa, do nada. Estava rezando pra nossa amiga sra. Antolini chegar com o café. Está aí uma coisa que me irrita pra diabo — quer dizer, se alguém *diz* que o café está quase pronto e não está.

"Holden... Uma perguntinha só, curta, meio pedante e pedagógica. Você não acha que tem hora e lugar pra tudo? Não acha que se alguém começa a te falar da fazenda do pai devia ficar firme, e *depois* começar a te falar do aparelho do tio? *Ou*, se o aparelho do tio é um assunto tão provocante, será que ele não devia ter sido escolhido de saída — em vez da fazenda?"

Eu não estava muito a fim de pensar e responder e tal. Estava com dor de cabeça e me sentindo uma porcaria. Eu até estava com meio que uma dor de estômago, se você quer saber a verdade.

"É — sei lá. Acho que devia. Quer dizer, acho que ele devia ter escolhido o tio de assunto, em vez da fazenda, se era por isso que ele se interessava mais. Mas o que eu estou dizendo é que muitas vezes você não *sabe* o que te interessa mais até começar a falar de uma coisa que *não* te interessa mais. Quer dizer, às vezes não tem como evitar. O que eu acho é que você em teoria devia deixar a pessoa em paz se ela pelo menos está sendo interessante e está ficando toda empolgada com alguma coisa. Eu gosto quando alguém se empolga com alguma coisa. É bacana. É que o senhor não conhecia esse professor, o sr. Vinson. Ele às vezes era de te deixar louco, ele e a porcaria daquela turma. Quer dizer, ele ficava o tempo todo te dizendo para *uni*ficar e *simpli*ficar. Tem coisa que simplesmente não *dá*. Quer dizer, quase nunca dá pra você unificar e simplificar um negócio só porque alguém *mandou*. O senhor não conhecia esse cara, o professor Vinson. Quer dizer, ele era bem inteligente e tal, mas dava pra você ver que ele não tinha muita coisa na cabeça."

"Café, cavalheiros, final*men*te", a sra. Antolini disse. Ela entrou trazendo uma bandeja com café e uns bolinhos e coisa e tal. "Holden, nem estique o olho. Eu estou que é uma desgraça."

"Oi, sra. Antolini", eu disse. Comecei a levantar e tal, mas o professor Antolini me pegou pelo paletó e me puxou de volta pra cadeira. O cabelo da nossa amiga sra. Antolini estava cheio daqueles trequinhos de ferro, pra enrolar, e ela não estava de batom nem nada. Ela não estava lá muito linda. Estava parecendo bem velha e tal.

"Eu vou deixar isso tudo bem aqui. Podem ir se servindo, os dois", ela disse. Ela largou a bandeja na mesinha dos cigarros, tirando um monte de copos do caminho. "Como está a sua mãe, Holden?"

"Está bem, obrigado. Faz um tempinho que a gente não se vê, mas até onde eu —"

"Querido, se o Holden precisar de qualquer coisa, está tudo no armário de roupa de cama. Na prateleira de cima. Eu vou deitar. Estou exausta", a sra. Antolini disse. E parecia mesmo. "Os meninos conseguem arrumar o sofá sozinhos?"

"A gente cuida de tudo. Pode ir deitar, você", o professor Antolini disse. Ele deu um beijo na sra. Antolini e ela se despediu de mim e foi pro quarto. Eles viviam se beijando sem parar em público.

Eu tomei um pouco de uma xícara de café e comi metade de um bolinho que estava duro que nem pedra. Mas o nosso amigo professor Antolini ficou só com mais uma bebida. E ele faz as bebidas bem fortes, dava pra você ver. Ele pode virar alcoólatra se não se cuidar.

"Eu almocei com o teu pai faz umas semanas", ele disse, do nada. "Você sabia?"

"Não. Não sabia."

"Você tem consciência, claro, de que ele está tremendamente preocupado com você."

"Eu sei. Eu sei disso", eu falei.

"Parece que antes de me ligar ele havia acabado de receber uma carta longa e algo angustiante do teu mais recente diretor, dizendo que você não estava nem se esforçando. Estava matando aula. Chegando despreparado em todas as aulas. De maneira geral, sendo um completo —"

"Eu não matei aula. Você não podia matar nenhuma aula. Teve lá uma ou duas que de vez em quando eu não assisti, que nem aquela de expressão oral que eu falei, mas eu não matei aula."

Eu não estava com a menor vontade de discutir aquilo. O café deu uma melhorada no meu estômago, mas eu ainda estava com aquela dor de cabeça horrorosa.

O professor Antolini acendeu outro cigarro. Ele fumava igual um demônio. Aí ele disse, "Francamente, não sei que diabo eu posso te dizer, Holden".

"Eu sei. Não é nada fácil falar comigo. Eu entendo isso."

"Eu tenho uma sensação de que você está se encaminhando para alguma queda terrível, mas terrível mesmo. Só que honestamente eu não sei que tipo de queda... Você está prestando atenção em mim?"

"Estou."

Dava pra você ver que ele estava tentando se concentrar e tal.

"Pode ser daquelas em que, aos trinta anos de idade, você fica sentado num bar qualquer da vida, odiando todo mundo que entra com cara de ter jogado futebol americano na universidade. Mas, também, você pode acabar com uma cultura suficiente pra odiar quem fala 'isso fica entre eu e você'. Ou pode acabar em algum escritório, jogando clipes na estenógrafa mais próxima. Eu simplesmente não sei. Mas você entende aonde eu quero chegar, pelo menos?"

"Entendo. Claro", eu disse. E entendia mesmo. "Mas o senhor está errado nisso aí do ódio. Quer dizer, nisso de odiar os caras que jogam futebol americano e tal. Está mesmo. Eu não odeio muita gente não. O que eu posso fazer é que eu posso odiar por um *tempinho*, que nem esse Stradlater que eu conheci lá na Pencey, e esse outro carinha, o Robert Ackley. Eu de vez em quando odiava *os dois* — isso eu não vou negar —, mas não dura muito, é isso que eu quero dizer. Depois de um tempo, se eu não via os caras, se eles não entravam no quarto, ou se eu não via os dois no refeitório umas duas vezes, eu meio que ficava com saudade. Quer dizer, eu meio que ficava com saudade deles."

O professor Antolini ficou um tempo quieto. Ele levantou e pegou outro gelo e colocou na bebida, aí sentou de novo. Dava pra você ver que ele estava pensando. Só que eu fiquei torcendo pra ele continuar a conversa de manhã, em vez de agora, mas ele estava animado. As pessoas quase sempre estão animadas pra discutir alguma coisa quando você não está.

"Muito bem. Então me escute um minuto... eu posso não expor isso da maneira memorável que eu desejaria, mas amanhã ou depois eu vou te escrever uma carta a respeito. Aí você pode entender tudo direitinho. Mas escute agora, mesmo assim." Ele começou a se concentrar de novo. Aí ele disse, "Essa queda para a qual eu acho que você está se encaminhando — é um tipo especial de queda, um tipo horrendo. O homem que está caindo não tem o direito de sentir ou de se ouvir bater no fundo. Ele simplesmente vai caindo sem parar. A situação toda é feita para homens que, em algum momento da vida, estavam em busca de algo que o seu ambiente não podia lhes oferecer. Ou que eles achavam que o seu ambiente não podia lhes oferecer. Então eles desistiram de procurar. Desistiram ainda antes de começarem de verdade. Você está me acompanhando?".

"Sim, senhor."

"Certeza?"

"Certeza."

Ele levantou e se serviu de mais bebida. Aí sentou de novo. Ficou um tempão sem abrir a boca.

"Eu não quero te meter medo", ele disse, "mas eu posso claramente ver você morrendo com grande nobreza, de uma ou de outra maneira, por alguma causa totalmente desprovida de mérito." Ele me olhou de um jeito esquisito. "Se eu escrever uma coisa pra você, você lê com cuidado? E guarda?"

"Leio. Certeza", eu disse. E li mesmo. Eu ainda tenho o papelzinho que ele me deu.

Ele foi até uma mesa do outro lado da sala, e sem sentar anotou alguma coisa num pedaço de papel. Aí ele voltou e sentou com o papelzinho na mão. "Por mais estranho que possa parecer, isso aqui não foi escrito por um poeta profissional. Quem escreveu foi um psicanalista chamado Wilhelm Stekel. Olha o que ele — Você ainda está acordado?"

"Estou, claro que estou."

"Olha o que ele disse: 'A marca do homem imaturo é querer morrer de maneira nobre por alguma causa, enquanto a marca do homem maduro é querer viver de maneira humilde por uma causa'."

Ele se esticou e me passou o papel. Eu li bem ali quando ele me entregou, aí agradeci e pus no bolso. Era simpático da parte dele, se dar a esse trabalho todo. Era mesmo. Só que o negócio era que eu não estava com grandes vontades de me concentrar. Rapaz, eu estava *cansado* pra diabo, assim, do nada.

Só que dava pra ver que ele não estava nadinha cansado. Estava bem alto, pra começo de conversa. "Acho que um dia desses", ele disse, "você vai ter que descobrir aonde quer chegar. E aí você tem que começar a andar nessa direção. Mas imediatamente. Você não pode mais perder nem um único minuto. Não você."

Eu fiz que sim com a cabeça, porque ele estava olhando direto pra mim e tal, mas eu não sabia lá muito bem do que ele estava falando. Eu até *achava* que sabia, mas na hora ali eu não podia pôr a mão no fogo. Estava cansado demais.

"E eu odeio te dizer isso", ele disse, "mas acho que quando você tiver uma ideia clara de aonde quer chegar, a tua primeira providência vai ser se dedicar à escola. Você não vai ter escolha. Você é um estudante — por mais que a ideia possa não te agradar. Você adora aprender. E eu acho que você vai descobrir, quando superar todos os srs. Vines e as suas composições ora—"

"Srs. Vinson", eu disse. Ele queria dizer todos os srs. Vinson, não todos os srs. Vines. Só que eu não devia ter interrompido.

"Tudo bem — os srs. Vinson. Quando você superar todos os srs. Vinson, vai começar a chegar cada vez mais perto — quer dizer, se você *quiser*, e se for atrás, e esperar — do tipo de informação que vai te ser muito, mas muito cara. Entre outras coisas, você vai descobrir que não é a primeira pessoa da história a ficar confusa e assustada e até a sentir repulsa pelo comportamento humano. Você não está de modo algum sozinho nessa posição, vai ficar empolgado e *estimulado* ao descobrir. Muitos, mas muitos homens tiveram problemas morais e espirituais tão grandes quanto os que você tem agora. Para nossa felicidade, alguns deles registraram seus problemas. Você vai aprender com eles — se quiser. Exatamente como algum dia, se você tiver algo a oferecer, alguém vai aprender alguma coisa com você. É uma reciprocidade linda. E não é educação. É história. É poesia." Ele parou e tomou um gole bem grande do copo. Aí começou de novo. Rapaz, ele estava animado mesmo. Eu fiquei feliz por não ter tentado interromper nem nada. "Eu não estou tentando te dizer", ele disse, "que só homens educados e eruditos são capazes de oferecer algo de valor ao mundo. Não é assim. Mas eu digo de fato que homens educados e eruditos, se pra começo de conversa tiverem brilho e criatividade — o que infelizmente tende a não ser o caso —, normalmente deixam registros infinitamente mais preciosos que os de homens que são *meramente* brilhantes e criativos. Eles normalmente se expressam com maior clareza, e via de regra têm um interesse passional por seguir suas ideias até o fim. E — o que é mais importante — em noventa por cento dos casos eles têm mais humildade que o pensador não erudito. Você está me acompanhando mesmo?"

"Sim, senhor."

Ele ficou mais um tempão de boca fechada. Não sei se você já fez isso na vida, mas é meio complicado ficar sentado esperando uma pessoa dizer alguma coisa quando ela está pensando e tal. É complicado mesmo. Eu ficava fazendo força pra não bocejar. Não era que eu estivesse de saco cheio nem nada — não estava —, mas eu, do nada, fiquei com um sono tão grande.

"Outra coisa que uma educação acadêmica vai fazer por você. Se você seguir essa trajetória por uma distância considerável, ela vai começar a te dar uma ideia do tamanho da tua mente. Do que vai servir nela e, talvez, do que não vai servir. Depois de um tempo, você vai ter uma ideia do tipo de pensamentos que uma mente do tamanho da tua deveria estar vestindo. Para começar, isso pode te poupar um tempo enorme que você ia gastar experimentando ideias que não te servem, que não te caem bem. Você vai começar a saber as tuas medidas reais, e a vestir a tua mente de acordo com elas."

Aí, do nada, eu bocejei. Que *filho de uma puta mais grosseiro*, mas eu não consegui segurar!

Mas o professor Antolini só riu. "Vem", ele disse, e levantou. "Vamos arrumar o sofá pra você."

Eu fui atrás dele e a gente foi até um armário e ele tentou pegar uns lençóis, cobertores e coisa e tal, que estavam na prateleira de cima, mas ele não conseguia com o copo de bebida na mão. Então bebeu tudo e aí largou o copo no chão e *aí* tirou as coisas do armário. Eu ajudei a levar tudo pro sofá. Nós dois fizemos a cama juntos. Ele não era muito bom nisso não. Ele não prendia nada direitinho. Mas eu não liguei. Eu podia ter dormido de pé, de tão cansado que estava.

"Como é que vai a mulherada?"

"Tudo em ordem." Eu estava sendo uma porcaria de conversa, mas eu não estava a fim.

"Como é que vai a Sally?" Ele conhecia a nossa amiga Sally Hayes. Eu apresentei ele uma vez.

"Ela está legal. Eu saí com ela hoje de tarde." Rapaz, parecia que tinha sido vinte anos atrás! "A gente não tem mais tanto em comum."

"Menina bonitinha pra diabo. E a outra menina? Aquela de que você me falou, lá do Maine?"

"Ah — Jane Gallagher. Ela é legal. Eu provavelmente vou dar uma ligada pra ela amanhã."

A essa altura a gente já tinha terminado de arrumar o sofá. "Todo seu", o professor Antolini disse. "Eu não sei que diabo você vai fazer com essas tuas pernas."

"Tudo bem. Eu estou acostumado com cama curta", eu disse. "Muito obrigado mesmo, professor. O sr. e a sra. Antolini salvaram de verdade a minha vida hoje."

"Você sabe onde fica o banheiro. Se precisar de qualquer coisa, só grite. Eu vou ficar ainda um tempo na cozinha — a luz vai te incomodar?"

"Não — nossa, até parece. Muito obrigado mesmo."

"Que é isso. Boa noite, bonitão."

"Boa noite, senhor. Muito obrigado mesmo."

Ele foi pra cozinha e eu entrei no banheiro e tirei a roupa e tal. Não dava pra escovar os dentes porque não tinha escova. Eu também não tinha pijama, e o professor Antolini esqueceu de me emprestar um. Então eu só voltei pra sala de estar e apaguei uma luminariazinha ali perto do sofá, e aí me ajeitei só de cuecas. Era curto demais pra mim, o sofá, mas eu realmente podia ter dormido de pé sem nem piscar. Eu fiquei acordado ali só uns segundos pensando naquilo tudo que o professor Antolini tinha me dito. Naquilo de descobrir o tamanho da tua mente e tal. Ele era mesmo um sujeito bem esperto. Mas eu não conseguia ficar com a desgraça dos olhos abertos, e caí no sono.

Aí aconteceu um negócio. Eu não gosto nem de *falar* disso.

Eu acordei, do nada. Não sei que horas eram nem nada, mas eu acordei. Eu senti uma coisa na minha cabeça, a mão de um cara. Rapaz, aquilo me deu um susto dos diabos. O que era aquilo, era a mão do professor Antolini. O que ele estava fazendo era que ele estava sentado no chão bem do ladinho do sofá, no escuro e tal, e estava meio que fazendo um carinho ou uma carícia na desgraça da minha cabeça. Rapaz, aposto que eu pulei coisa de duzentos metros.

"Que merda é *essa*?", eu disse.

"Não é nada! Eu estou simplesmente sentado aqui, admirando —"

"Mas que negócio é *esse*?", eu disse de novo. Eu não sabia *o que* diabo dizer — quer dizer, eu estava constrangido pra diabo.

"Que tal falar mais baixo? Eu estou só sentado aqui —"

"Eu tenho que ir embora mesmo", eu falei — rapaz, como eu estava nervoso! Comecei a vestir a desgraça das calças no escuro. Eu mal conseguia vestir de tão nervoso que estava. Eu conheço mais desses pervertidos desgraçados, nas escolas e tal, do que qualquer pessoa que você já tenha conhecido, e eles vivem dando uma de pervertidos quando eu *estou* por perto.

"Você tem que ir pra *onde*?", o professor Antolini disse. Ele estava tentando se comportar de um jeito todo normal e tranquilo pra cacete, mas ele não estava tranquilo nem a pau. Vai por mim.

"Eu deixei as minhas malas na estação. Acho que era melhor ir pegar. As minhas coisas todas estão lá."

"E vão estar lá de manhã. Agora, volte pra cama. Eu também vou pra cama. O que é que você tem?"

"Nada, é só que o meu dinheiro todo e coisa e tal estão numa das malas. Eu já volto. Eu pego um táxi e já volto", eu disse. Rapaz, eu estava tropeçando em tudo no escuro. "O negócio é que o dinheiro não é meu. É da minha mãe, e eu —"

"Não seja ridículo, Holden. Volte já praquela cama. Eu também vou pra cama. O dinheiro vai estar lá são e salvo de ma—"

"Não, sem brincadeira. Eu tenho que ir andando. Tenho mesmo." Eu já estava quase inteiro vestido, só que não conseguia achar a minha gravata. Não lembrava onde eu tinha posto a gravata. Vesti o paletó e tal sem gravata. O nosso amigo professor Antolini estava sentado agora na poltrona um pouco mais longe de mim, me olhando. Estava escuro e tal e eu não conseguia ver ele tão legal, mas sabia que ele estava me olhando sim. Ele ainda estava bebendo, também. Dava pra ver o seu fiel copo de bebida na mão.

"Você é um menino muito, mas muito estranho."

"Eu sei", eu disse. Eu nem procurei muito a gravata. Então fui sem. "Até mais, professor", eu disse. "Muito obrigado mesmo. Sem brincadeira."

Ele veio vindo bem atrás de mim quando eu andei até a porta, e quando chamei o elevador ele ficou parado na droga da porta do apartamento. A única coisa que ele disse foi aquele treco de eu ser um "menino muito, mas muito estranho" de novo. Estranho o cacete. Aí ele ficou esperando na porta e tal até a desgraça do elevador chegar. Eu nunca esperei tanto um elevador na desgraça da minha vida inteira. Eu juro.

Eu não sabia o que falar enquanto esperava a merda do elevador, com o professor ali parado, então eu disse, "Eu vou começar a ler uns livros bons. Vou mesmo". Quer dizer, você tinha que falar al*gu*ma coisa. Era muito constrangedor.

"Você pegue as tuas malas e volte correndo pra cá. Eu vou deixar a porta sem a tranca."

"Muito obrigado mesmo", eu disse. "Tchauzim!" O elevador finalmente estava ali. Eu entrei e desci. Rapaz, eu estava tremendo feito um demente. Estava suando, também. Quando alguma coisa pervertida dessas acontece, eu começo a suar que nem um filho da puta. Esse tipo de coisa aconteceu comigo umas vinte vezes desde que eu era criança. Eu não suporto.

25

Quando eu saí do prédio, estava começando a ficar mais claro. E estava bem frio também, mas foi gostoso porque eu estava suando muito.

Nem a pau que eu sabia aonde ir. Não queria ir pra outro hotel e gastar toda a grana da Phoebe. Então finalmente a única coisa que eu fiz foi que eu caminhei até a Lexington e peguei o metrô até a Grand Central. As minhas malas estavam lá e tal, e eu pensei em dormir naquela salona de espera maluca onde tem um monte de bancos. Então foi isso que eu fiz. Não foi tão ruim de cara, porque não tinha muita gente por lá e deu pra eu esticar os pés. Mas eu não estou com grandes vontades de discutir isso aí. Não foi muito legal. Nem tente. Sério. Vai te deprimir.

Eu dormi só até lá pelas nove, porque um milhão de pessoas começou a chegar na sala de espera e eu tive que baixar os pés. Eu não consigo dormir tão legal se tenho que deixar os pés no chão. Então sentei. Eu ainda estava com aquela dor de cabeça. Estava pior ainda. E acho que eu estava mais deprimido do que nunca na vida.

Eu não queria, mas comecei a pensar no nosso amigo professor Antolini, e fiquei imaginando o que ele ia dizer pra sra. Antolini quando ela visse que eu não tinha dormido lá nem nada. Só que aquela parte nem me preocupou tanto, porque eu sabia que o professor Antolini era bem esperto e ia inventar alguma coisa pra dizer pra ela. Ele podia dizer que eu tinha ido pra casa ou sei lá o quê. Essa parte não me incomodou demais. Mas o que me *incomodou* foi a parte de eu acordar e ver ele me fazendo carinho na cabeça e tal. Quer dizer, eu fiquei pensando se talvez quem sabe eu estivesse errado naquilo de pensar que ele estava me dando uma cantada de maricas. Fiquei pensando se talvez ele só gostasse de fazer carinho na cabeça dos sujeitos quando eles estão dormindo. Quer dizer, como é que você pode saber essas coisas assim com certeza? Não pode. Eu até comecei a pensar se talvez eu não devia mesmo ter pegado as malas e voltado pra casa dele, que nem eu disse que ia fazer. Quer dizer, eu comecei a pensar que mesmo que ele fosse maricas, certamente que tinha sido bem bacana comigo. Eu lembrei de como ele não tinha se incomodado quando eu liguei tão tarde, e de como ele tinha me dito pra ir direto pra lá se quisesse. E de como ele se deu ao trabalho de me dar conselhos sobre aquele negócio de descobrir o tamanho da tua mente e tal, e de como ele foi o único cara que se dignou a chegar *perto* daquele menino James Castle que eu te falei quando ele estava morto. Eu pensei naquilo tudo. E quanto mais eu pensava, mais deprimido ficava. Quer dizer, eu comecei a pensar que talvez *devesse* era ter voltado pra casa dele. Vai ver ele *estava* fazendo carinho na minha cabeça só de farra. Só que quanto mais eu pensava naquilo, mais deprimido e mais neurótico aquilo ia me deixando. E pra piorar, os meus olhos estavam doloridos pra diabo. Estavam doloridos e ardidos de eu não ter conseguido dormir tanto. Fora que eu estava meio que pegando um resfriado, e nem a desgraça de um lenço eu tinha. Tinha uns na minha mala, mas eu não estava a fim de tirar a mala daquele cofre e abrir ali em público e tal.

Tinha lá uma revista que alguém tinha deixado no banco do meu lado, então eu comecei a ler, pensando que aquilo ia me fazer parar de pensar no professor Antolini e num milhão de outras coisas pelo menos por um tempinho. Mas a merda do artigo que eu comecei a ler me deixou quase pior. Era só sobre hormônios. Descrevia a cara que você devia ter, o rosto e os olhos e tal, se os teus hormônios estivessem em ordem, e eu não estava com aquela cara. Eu parecia exatamente o cara ali do artigo com os hormônios bem porcaria. Aí eu comecei a me preocupar com os meus hormônios. Aí eu li um outro artigo, sobre como você pode saber se tem ou não tem câncer. Dizia que se você tinha feridas na boca que não curavam bem rapidinho, era sinal que você provavelmente tinha câncer. Eu estava com uma ferida por dentro do lábio fazia umas *duas semanas*. Então eu saquei que estava ficando com câncer. Aquela revista era boa pra dar uma animada no sujeito. Acabou que eu parei de ler aquilo e fui dar uma volta lá fora. Eu pensei que ia estar morto em poucos meses porque estava com câncer. Pensei mesmo. Cheguei até a ter certeza. O que certamente não fez eu me sentir muito supimpa.

Estava meio que com cara que ia chover, mas eu fui dar uma volta mesmo assim. Pra começo de conversa, eu saquei que devia tomar um café da manhã. Eu nem estava com fome, mas saquei que devia pelo menos tomar um café da manhã. Quer dizer, pelo menos alguma coisa com vitaminas. Então comecei a andar na direção leste, onde ficam os restaurantes baratos, porque eu não queria gastar muita grana.

Enquanto andava, eu passei por dois sujeitos que estavam descarregando uma arvorezona de Natal de um caminhão. Um cara ficava dizendo pro outro cara, "Segura essa merda *direito*! Segura *direito*, pelamordedeus!". Certamente era um jeitinho supimpa de falar de uma árvore de Natal. Só que era meio engraçado, de um jeito horroroso, e eu meio que comecei a rir. Foi uma das *piores* coisas que eu podia ter feito, porque no mesmo minuto que eu comecei a rir eu achei que ia vomitar. Achei mesmo. Eu até comecei, mas passou. Não sei por quê. Quer dizer, eu não tinha comido nada sujo e tal e normalmente eu tenho um estômago bem forte. Enfim, eu superei aquilo, e saquei que ia ficar melhor se comesse alguma coisa. Então entrei num restaurantinho bem com cara de barato e pedi uns donuts com café. Só que eu não comi os donuts. Eu não estava conseguindo engolir muito bem. O negócio é que se você está muito deprimido por alguma coisa, engolir fica difícil pra diabo. Só que o garçom foi bem bacana. Ele levou os donuts de volta sem cobrar nada. Eu só tomei o café. Aí fui embora e comecei a andar na direção da Quinta Avenida.

Era segunda-feira e tal, e bem pertinho do Natal, e todas as lojas estavam abertas. Então não era tão ruim caminhar pela Quinta Avenida. Estava bem natalino. Aquele monte de Papais Noéis magricelas estava lá nas esquinas, batendo aqueles sinos, e as meninas do Exército da Salvação, as que não usam nem batom nem nada, também estavam batendo sininhos. Eu meio que fiquei procurando aquelas duas freiras que tinha encontrado no café da manhã do dia anterior, mas não encontrei. Eu sabia que não ia encontrar, porque elas tinham me dito que vieram pra Nova York pra ser professoras, mas fiquei procurando por elas mesmo assim. Enfim, estava bem natalino, do nada. Um milhão de criancinhas estava no centro da cidade com as mães, subindo e descendo de ônibus e entrando e saindo de lojas. Queria que a nossa amiga Phoebe estivesse por ali. Ela não é mais pequena a ponto de enlouquecer completa e totalmente na seção de brinquedos, mas gosta de ficar fazendo bobeira e olhando as pessoas. No Natal do ano retrasado eu levei ela pro centro pra fazer compras comigo. A gente se divertiu pra diabo. Acho que foi na Bloomingdale's. A gente entrou na seção de sapatos e fingiu que ela — a nossa amiga Phoebe — queria comprar um par daquelas botas de chuva bem altas, daquelas que têm coisa de um milhão de ilhoses pra amarrar. A gente deixou o coitado do vendedor maluquinho. A nossa amiga Phoebe provou uns vinte pares, e cada vez o coitadinho tinha que amarrar um pé até o final. Era golpe baixo, mas matou a nossa amiga Phoebe. A gente finalmente comprou um par de mocassins e mandou pôr na conta. O vendedor foi bem bacana. Acho que ele sabia que a gente estava de bobeira, porque a nossa amiga Phoebe sempre começa a dar uma risadinha.

Enfim, eu fiquei andando sem parar pela Quinta Avenida, sem gravata nem nada. Aí, do nada, começou a acontecer um negócio muito pavoroso. Toda vez que eu chegava no fim de uma quadra e descia do meio-fio, eu tinha uma sensação de que nunca ia chegar do outro lado da rua. Eu achava que só ia descer e descer e descer, e que ninguém ia me ver mais. Rapaz, que medo que me deu. Você nem consegue imaginar. Eu comecei a suar que nem um filho da puta — a camisa inteira e a roupa de baixo e coisa e tal. Aí eu comecei a fazer outra coisa. Toda vez que eu chegava no fim de uma quadra eu fazia de conta que estava conversando com o meu irmão Allie. Eu dizia pra ele, "Allie, não me deixe desaparecer. Allie, não me deixe desaparecer. Allie, não me deixe desaparecer. Por favor, Allie". E aí quando chegava do outro lado da rua sem desaparecer, eu *agradecia* ele. Aí começava tudo de novo assim que eu chegava na outra esquina. Mas eu continuava andando e tal. Eu meio que estava com medo de parar, acho — eu não lembro, pra te dizer a verdade. O que eu sei é que só fui parar quando já estava lá na altura das ruas de número 60, pra lá do zoológico e tal. Aí eu sentei num banco. Eu mal tinha fôlego, e ainda estava suando que nem um filho da puta. Eu fiquei ali, acho eu, por mais ou menos uma hora. Finalmente, o que eu decidi que ia fazer foi que eu decidi que ia embora. Eu decidi que nunca mais ia voltar pra casa e nunca mais ia ser mandado pra outra escola. Eu decidi que só ia ver a nossa amiga Phoebe e meio que me despedir dela e tal, e devolver a grana de Natal dela, e então ia começar a pedir carona pra chegar no Oeste. O que eu ia fazer, eu pensei, era que eu ia até o Holland Tunnel pegar uma carona, e aí ia pegar mais uma, e mais uma, e mais uma, e em poucos dias ia estar em algum lugar lá do Oeste que fosse bonito e ensolarado e onde ninguém ia me conhecer e eu ia arrumar um emprego. Eu pensei que podia arrumar um emprego num posto de combustível em algum lugar, pondo óleo e gasolina no carro dos outros. Só que eu nem ligava que tipo de trabalho que ia ser. Desde que as pessoas não me conhecessem e eu não conhecesse ninguém. Eu pensei que o que eu ia fazer era que eu ia fingir que era um daqueles surdos-mudos. Aí não ia precisar ter nenhuma porcaria de conversa idiota e inútil com ninguém. Se alguém quisesse me dizer alguma coisa, ia ter que escrever num papelzinho e passar pra mim. As pessoas iam ficar de saco pra lá de cheio de fazer isso depois de um tempo, e aí chega de ter que conversar pelo resto da minha vida. Todo mundo ia pensar que eu era só um coitado de um surdo-mudo filho da puta, e eles iam me deixar em paz. Iam me deixar colocar óleo e gasolina naqueles carros idiotas lá deles, e iam me pagar um salário e tal pra fazer isso, e eu ia construir uma cabaninha pra mim em algum lugar com a grana que ia ganhar, e ia morar lá o resto da vida. Ia construir bem perto do mato, mas não *no meio* do mato, porque eu ia querer que fosse ensolarado pra diabo o tempo todo. Eu ia fazer a minha comida toda e, mais pra frente, se quisesse casar ou sei lá o quê, ia encontrar uma menina linda que também era surda-muda e a gente ia casar. Ela ia vir morar na minha cabana comigo, e se quisesse dizer alguma coisa pra mim ia ter que escrever numa droga de um papelzinho, igual todo mundo. Se a gente tivesse filhos, a gente ia esconder em algum lugar. A gente podia comprar um monte de livros e a gente mesmo ensinar eles a ler e escrever.

Fiquei empolgado pra diabo de pensar naquilo. Fiquei mesmo. Eu sabia que o negócio de fingir que era surdo-mudo era loucura, mas gostei de pensar naquilo mesmo assim. Mas eu decidi mesmo que ia me mandar pro Oeste e tal. A única coisa que eu queria fazer antes era me despedir da nossa amiga Phoebe. Então, do nada, eu atravessei a rua correndo feito um demente — eu não morri ali por um triz, se você quer saber a verdade — e entrei numa papelaria e comprei um bloco e um lápis. Eu pensei que ia escrever um bilhete pra ela, dizendo onde ela podia me encontrar pra eu poder me despedir dela e devolver a grana de Natal, e aí eu ia levar o bilhete até a escola dela e dar pra alguém do escritório do diretor entregar pra ela. Mas eu só pus o bloco e o lápis no bolso e comecei a andar rápido pra diabo na direção da escola dela — eu estava empolgado demais pra escrever o bilhete bem ali na papelaria. Eu fui bem rápido porque queria que ela recebesse o bilhete antes dela ir almoçar em casa, e não tinha tanto tempo assim.

Eu sabia onde era a escola dela, lógico, porque eu mesmo estudei lá quando era pequeno. Quando cheguei lá, foi meio esquisito. Eu não sabia se ia lembrar como que era por dentro, mas lembrei. Estava exatamente igual ao que era quando eu estudava ali. Era o mesmo pátio interno grandão, que ficava sempre meio escuro, com aquelas gaiolas em volta das lâmpadas pra elas não quebrarem se tomassem uma bolada. Eram os mesmos círculos brancos pintados no chão todo, pras brincadeiras e coisa e tal. E as mesmas cestas de basquete sem rede — só as tabelas e os aros.

Ninguém estava por ali, provavelmente porque não estava na hora do recreio, e ainda não era hora do almoço. Eu só vi foi um menininho, um menino negro, indo pro banheiro. Ele estava com uma daquelas autorizações de madeira saindo do bolso de trás da calça, igualzinho no nosso tempo, pra mostrar que tinha permissão e tal pra ir no banheiro.

Eu ainda estava suando, mas não tão forte agora. Fui até a escadaria e sentei no primeiro degrau e peguei o bloco e o lápis que tinha comprado. A escada tinha o mesmo cheiro que no meu tempo lá. Como se alguém tivesse acabado de fazer xixi. Escada de escola sempre tem esse cheiro. Enfim, eu sentei ali e escrevi o seguinte bilhete:

> CARA PHOEBE,
>
> Eu não posso mais ficar esperando até quarta então provavelmente vou de carona pro oeste hoje à tarde. Me encontre no Museu de arte perto da porta meio-dia e quinze se puder que eu te devolvo a tua grana de Natal. Eu não gastei muito.
>
> Beijo,
>
> HOLDEN

A escola dela era praticamente colada no museu, e ela tinha mesmo que passar por ali no caminho pra ir almoçar em casa, então eu sabia que ela ia poder me encontrar sim.

Aí eu fui subindo a escada até o escritório do diretor pra poder dar o bilhete pra alguém que fosse entregar pra ela em sala. Eu dobrei o papel umas dez vezes pra ninguém poder abrir. Não dá pra você confiar em ninguém numa desgraça de uma escola. Mas eu sabia que iam entregar pra ela se eu fosse irmão dela e tal.

Só que enquanto eu ia subindo a escada, do nada achei que ia vomitar de novo. Mas não vomitei. Eu sentei um segundinho, e aí fiquei melhor. Mas enquanto estava sentado, eu vi um negócio que me deixou maluco. Alguém tinha escrito “Foda-se” na parede. Aquela desgraça me deixou quase maluco. Eu pensei que a Phoebe e as outras criancinhas iam ver aquilo, e iam ficar pensando que diabo aquilo queria dizer, e aí finalmente algum moleque safado ia contar pra elas — tudo de um jeito aloprado, claro — o que aquilo queria dizer, e que eles iam *ficar pensando* naquilo e talvez até se preocu*pan*do com aquilo por uns dias. Eu ficava tendo umas ganas de matar quem tinha escrito aquilo. Pensei que devia ter sido alguma porcaria de um pervertido que tinha entrado escondido na escola tarde da noite pra dar uma mijada ou sei lá o quê e aí escreveu aquilo na parede. Eu ficava me imaginando pegando o cara no ato, e como eu ia bater a cabeça dele nos degraus de pedra até ele estar bem mortinho e todo ensanguentado, desgraça. Mas eu também sabia que não ia ter culhão de fazer aquilo. Eu sabia. Isso me deixava ainda mais deprimido. Eu mal tinha culhão de limpar aquilo da parede com a *mão*, se você quer saber a verdade. Tinha medo que algum professor me pegasse limpando aquilo e pensasse que *eu* que tinha escrito. Mas acabei limpando, mesmo assim. Aí subi até o escritório do diretor.

Parecia que o diretor não estava, mas uma velhinha de uns cem anos de idade estava sentada na frente de uma máquina de escrever. Eu disse pra ela que era irmão da Phoebe Caulfield, da 4B-1, e pedi pra ela por favor entregar o bilhete pra Phoebe. Eu disse que era muito importante porque a minha mãe estava doente e não ia ter preparado o almoço da Phoebe e que ela ia ter que me encontrar pra almoçar numa venda. Ela foi bem simpática, a velhinha. Pegou o bilhete e chamou uma outra senhorinha, do escritório ali do lado, e a outra senhora foi entregar pra Phoebe. Aí a velhinha que tinha os seus cem anos de idade e eu trocamos uma ideia por um tempo. Ela era bem simpática, e eu contei que também tinha estudado ali, eu e os meus irmãos. Ela me perguntou onde eu estudava agora, e eu disse que era na Pencey, e ela disse que a Pencey era uma escola muito boa. Nem que eu quisesse, eu não ia ter tido força pra esclarecer a situação pra ela. Sem contar que, se ela achava que a Pencey era uma escola muito boa, ela que achasse. Não tem como você não odiar dizer uma *novidade* pra alguém dos seus cem anos de idade. Eles não gostam de ouvir. Aí, depois de um tempo, eu fui embora. Foi esquisito. Ela berrou "Boa sorte!" pra mim exatamente como o nosso amigo Spencer fez quando eu saí da Pencey. Meu Deus, como eu odeio quando alguém berra "Boa sorte!" pra mim quando eu estou saindo de algum lugar. É deprimente.

Eu desci por uma escada diferente, e vi outro "Foda-se" na parede. Tentei limpar com a mão de novo, mas esse estava *riscado*, com uma faca ou sei lá o quê. Não saía. E não ia adiantar mesmo. Se você tivesse um milhão de anos pra ficar limpando, você não ia conseguir apagar nem *metade* dos "Foda-se" escritos no mundo. É impossível.

Eu olhei o relógio no pátio do recreio, e eram só vinte pra meio-dia, então eu tinha tempo pacas pra matar antes de me encontrar com a nossa amiga Phoebe. Mas só fui indo pro museu mesmo. Não tinha mais aonde eu ir. Eu pensei que talvez pudesse parar numa cabine telefônica pra dar uma ligadinha pra nossa amiga Jane Gallagher antes de começar a pedir carona pro Oeste, mas eu não estava no clima. Pra começo de conversa, eu nem sabia direito se ela já estava de férias em casa. Então só fui pro museu, e fiquei por lá.

Enquanto estava esperando a Phoebe no museu, bem pertinho da porta e tal, entraram dois garotinhos e me perguntaram se eu sabia onde que ficavam as múmias. Um dos garotinhos, o que me perguntou, estava com as calças abertas. Eu disse pra ele. Aí ele abotoou as calças bem ali enquanto conversava comigo — ele nem se deu ao trabalho de ir atrás de uma coluna nem nada. Ele me matou. Eu teria rido, mas fiquei com medo de me dar vontade de vomitar de novo, então não ri. "Cadê as múmia, camarada?", o garoto disse de novo. "Cê sabe?"

Eu dei uma sacaneada nos dois. “As múmias? E isso é o quê?”, eu perguntei pra aquele garoto.

“Você sabe. As *mú*mia — os carinha morto. Que eles enterravam lá nas tomba e tal.”

Tomba. Aquela me matou. Ele queria dizer “tumbas”.

“Como é que vocês não estão na escola?”, eu disse.

“Não tem aula hoje”, o menino que falava tudo disse. Ele estava mentindo, aposto o que você quiser, o filhinho de uma puta. Mas eu não tinha mais o que fazer, até a nossa Phoebe aparecer, então ajudei os dois a encontrar o lugar onde ficavam as múmias. Rapaz, antes eu sabia exatamente onde elas ficavam, mas fazia anos que eu não entrava naquele museu.

“Vocês gostam pacas de múmias?”, eu disse.

“É.”

“O teu amigo não fala?”, eu disse.

“Ele não é meu amigo. É o meu maninho.”

“E ele não fala?” Eu olhei pro que não falava nada. “Você não sabe falar?”, eu perguntei pra ele.

“Falo”, ele disse. “Não tô a fim.”

Finalmente a gente encontrou o lugar onde ficavam as múmias, e a gente entrou.

“Você sabe como que os egípcios enterravam os mortos?”, eu perguntei pro primeiro garoto.

“Nem.”

“Bom, devia. É bem interessante. Eles enrolavam a cara dos sujeitos com umas faixas que eram tratadas com um produto químico secreto. Aí eles podiam ficar enterrados lá nas tumbas por milhares de anos que a cara deles não apodrecia nem nada. Ninguém fora os egípcios sabe fazer isso. Nem a ciência moderna.”

Pra chegar onde ficavam as múmias, você tinha que descer um tipo de um corredor bem estreito com umas pedras do lado que eles tinham tirado bem lá da tumba do faraó e tal.

Era bem medonho, e dava pra você ver que os dois figurões que estavam ali comigo não estavam curtindo muito. Eles ficaram grudados pra diabo em mim, e o que não falava nada estava praticamente pendurado na minha manga. "Vamo", ele disse pro irmão. "Eu já vi elas. Vamo, vem." Ele deu meia-volta e se mandou.

"Ele é mais froxo que cinto de magrelo", o outro disse. "Tchau!" Ele também se mandou.

Aí fiquei só eu na tumba. Eu meio que gostei, até. Era tão gostoso ali, tão calmo. Aí, do nada, você nunca ia imaginar o que eu vi escrito na parede. Outro "Foda-se". Estava escrito com giz de cera vermelho ou sei lá o quê, bem embaixo da parte de vidro da parede, por baixo das pedras.

Está aí o problema todo. Você não vai conseguir achar um lugar gostoso e calmo, porque não existe. Você pode *pensar* que existe, mas quando você chega lá, quando você não está olhando, alguém entra escondido e escreve "Foda-se" bem na tua cara. Tente, uma hora dessas. Acho até que se um dia eu morrer e eles me meterem num cemitério, e eu tiver uma lápide e tal, vai dizer "Holden Caulfield" na pedra, e aí o ano em que eu nasci e o ano em que eu morri, e aí embaixo disso vai dizer "Foda-se". Eu tenho certeza, na verdade.

Depois que eu saí do lugar onde ficavam as múmias, eu tive que ir ao banheiro. Eu meio que tive uma diarreia, se você quer saber a verdade. A coisa da diarreia em si não me incomodou tanto assim, mas aconteceu um outro negócio. Quando eu estava saindo da privada, logo antes de chegar na porta, eu meio que apaguei. Só que eu dei sorte. Quer dizer, eu podia ter morrido quando fui pro chão, mas acabou que eu só meio que caí de lado. Só que foi um negócio engraçado. Eu fiquei melhor depois de desmaiar. Fiquei mesmo. O meu braço meio que estava doendo, por causa do jeito que eu caí, mas eu não estava mais tonto daquele jeito.

Aí já era coisa de meio-dia e dez, então eu voltei e fiquei perto da porta pra esperar a nossa amiga Phoebe. Eu fiquei pensando que podia ser a última vez que ia ver ela. Qualquer um da minha família, assim. Eu saquei que provavelmente ia ver todo mundo de novo, mas só depois de anos. Eu podia voltar pra casa com uns trinta e cinco. Eu pensei, caso alguém ficasse doente e quisesse me ver antes de morrer, mas ia ser o único motivo pra eu sair da minha cabana e voltar. Eu até comecei a imaginar como ia ser quando eu voltasse. Eu sabia que a minha mãe ia ficar nervosa pra diabo e ia começar a chorar e implorar pra eu ficar em casa e não voltar pra cabana, mas eu ia embora mesmo assim. Eu ia ficar frio. Ia fazer ela se acalmar e aí eu ia andar até o outro lado da sala de estar e pegar o estojinho de cigarros e acender um cigarro, tranquilo pra diabo. Eu ia convidar todo mundo pra ir me visitar qualquer hora se eles quisessem, mas não ia insistir nem nada. O que eu ia fazer era que eu ia deixar a nossa amiga Phoebe aparecer pra me visitar no verão e nas férias de Natal e de Páscoa. E ia deixar o D.B. aparecer pra me visitar por um tempo se ele quisesse um lugar calmo e tranquilo pra escrever, mas ele não ia poder escrever filme na minha cabana, só contos e livros. Eu ia ter uma regra de que ninguém podia fazer nada de fajuto quando estivesse me visitando. Se alguém tentasse fazer uma coisa fajuta, não podia ficar.

Do nada, eu olhei pro relógio do vestíbulo e era meio-dia e trinta e cinco. Eu comecei a ficar com medo que talvez a velhinha da escola tivesse dito pra outra velhinha não dar o meu bilhete pra Phoebe. Comecei a ficar com medo que talvez ela tivesse dito pra outra queimar o bilhete ou sei lá o quê. Aquilo me deu um medo do cão. Eu queria tanto ver a nossa amiga Phoebe antes de meter o pé na estrada. Quer dizer, eu estava com a grana de Natal dela e tal.

Finalmente ela apareceu. Eu vi pela parte de vidro da porta. O motivo de eu ter visto era que ela estava usando o meu boné maluco de caçador — dava pra você ver aquele boné a uns quinze quilômetros de distância.

Eu saí da porta onde estava e comecei a descer os degraus de pedra pra me encontrar com ela. O que eu não conseguia entender era que ela estava com uma mala grandona. Ela estava atravessando naquele momento a Quinta Avenida, e arrastando uma malona enorme. Ela mal conseguia arrastar aquilo. Quando eu cheguei mais perto, vi que era a minha mala mais velha, a que eu usava quando estava na Whooton. Eu não conseguia entender o que diabos ela estava fazendo com aquilo ali. "Oi", ela disse quando chegou perto. Ela estava toda sem fôlego por causa da mala maluca.

"Eu estava achando que talvez você nem viesse", eu disse. "O que diabos tem aí nessa mala? Eu não estou precisando de nada. Eu vou só com a roupa do corpo. Eu não vou nem levar as malas que eu deixei na estação. Que diabo que você *pôs* aí?"

Ela largou a mala. "As minhas roupas", ela disse. "Eu vou com você. Posso? Tudo bem?"

"O quê?", eu disse. Eu quase caí de costas quando ela disse aquilo. Juro por Deus que eu quase caí de costas. Fiquei meio tonto e achei que ia desmaiar ou sei lá o quê, de novo.

"Eu saí pelo elevador dos fundos pra Charlene não me ver. Não está pesada. Eu só pus dois vestidos e os meus mocassins e a minha roupa de baixo e umas meias e umas coisas. Pega pra você ver. Não está pesada. Pega uma vez só… Eu não posso ir com você? Holden? Não posso? *Por favor.*"

"Não. Cale a boca."

Eu achei que ia pura e simplesmente apagar. Quer dizer, eu não queria mandar ela calar a boca e tal, mas achei que ia desmaiar de novo.

"Por que é que eu não posso? *Por favor*, Holden! Eu não vou fazer nada — eu só vou com você, e pronto! Eu nem levo as roupas se você não quiser — eu levo só o meu —"

"Você não pode levar nada. Porque você não vai. Eu vou sozinho. Então cale a boca."

"*Por favor*, Holden. *Por favor*, me deixe ir. Eu vou ficar tão, mas tão, mas tão — Você não vai nem —"

"Você não *vai*. Agora, cale a boca! Me dá essa mala", eu disse. Eu tirei a mala dela. Eu estava quase a ponto de bater nela, achei que ia dar um tapa nela, por um segundo. Achei mesmo.

Ela começou a chorar.

"Eu estava achando que você ia aparecer na peça da escola e tal. Estava achando que você ia ser o Benedict Arnold na peça e tal", eu disse. Eu disse de um jeito bem sacana. "Que que cê quer fazer? Não aparecer na peça, meu Deus do céu?" Isso fez ela chorar mais ainda. Eu fiquei feliz. Do nada, eu queria que ela chorasse até os olhos dela ficarem quase caindo da cara. Eu quase odiei ela ali. Acho que o ódio era especialmente porque ela não ia mais estar na peça se fosse embora comigo.

"Vem", eu disse. Eu comecei a subir de novo pro museu. Pensei que o que eu ia fazer era que eu ia guardar no guarda-volumes a mala maluca que ela trouxe, e aí ela podia pegar de novo às três, depois da aula. Eu sabia que ela não podia voltar com aquilo pra escola. "Vem, anda", eu disse.

Só que ela não subiu comigo. Ela não queria subir comigo. Só que eu subi mesmo assim, e levei a mala pro guarda-volumes, e aí desci de novo. Ela ainda estava ali na calçada, mas me deu as costas quando eu cheguei. Ela faz dessas. Ela te vira as costas quando está a fim. "Eu não vou pra lugar nenhum. Mudei de ideia. Então pare de chorar e cale a boca", eu disse. O engraçado era que ela não estava nem chorando quando eu disse isso. Só que eu disse mesmo assim. "Vem, anda. Eu vou com você até a escola. Vem, anda. Você vai se atrasar."

Ela não queria me responder nem nada. Eu meio que tentei pegar a mão da nossa amiga, mas ela não deixava. Ficava me dando as costas.

"Cê comeu alguma coisa? Cê já almoçou?", eu perguntei.

Ela não me respondia. A única coisa que ela fez foi que ela tirou o meu boné vermelho de caçador — o que eu dei pra ela — e praticamente jogou bem na minha cara. Aí me deu as costas de novo. Aquilo quase me matou, mas eu não abri a boca. Eu só peguei o boné do chão e meti no bolso do casaco.

"Ah, vem comigo. Eu vou com você até a escola", eu disse.

"Eu não *vou* voltar pra escola."

Eu não soube o que dizer quando ela disse aquilo. Só fiquei ali parado uns minutos.

"Você *tem* que voltar pra escola. Você quer aparecer na peça, não quer? Quer ser o Benedict Arnold, não quer?"

"Não."

"Claro que quer. Certamente que você quer. Ah, vem comigo agora", eu disse. "Pra começo de conversa, eu não vou a lugar nenhum, eu te disse. Eu vou pra casa. Eu vou pra casa assim que você voltar pra escola. Primeiro eu vou passar na estação pegar as minhas malas, e aí vou direto —"

"Eu disse que não *vou* voltar pra escola. Você pode fazer o que *você* quiser, mas eu não vou voltar pra escola", ela disse. "Então cale a boca." Foi a primeira vez na vida que ela me mandou calar a boca. Foi horrível. Jesus, como foi horrível. Foi pior do que ouvir ela dizer um palavrão. E ela ainda não olhava pra mim, e toda vez que eu meio que punha a mão no ombro dela ou sei lá o quê, ela não deixava.

"Escuta, quer ir dar uma volta?", eu perguntei. "Quer dar uma volta no zoológico? Se eu deixar você não voltar pra escola de tarde e sair pra dar uma volta, você para com essa maluquice?"

Ela não me respondia, então eu disse de novo. "Se eu deixar você matar aula de tarde e sair pra dar uma voltinha, você para de maluquice? Você volta pra escola amanhã bem bonitinha?"

"Pode ser que sim e pode ser que não", ela disse. Aí ela disparou e atravessou o diabo da rua correndo, sem nem olhar pra ver se vinha carro. Às vezes ela é demente.

Só que eu não fui atrás dela. Eu sabia que ela ia vir atrás de *mim*, então comecei a andar na direção do centro, pro zoológico, do lado da rua que dava pro parque, e ela começou a andar na direção do centro do *outro* lado da desgraça da rua. Ela nem se dignava a olhar pra mim, mas eu sabia que a doida provavelmente estava me olhando de canto de olho pra ver aonde eu estava indo e tal. Enfim, a gente foi andando daquele jeito até o zoológico. A única coisa que me incomodou foi quando um ônibus de dois andares passou, porque aí eu não enxerguei mais o outro lado da rua e não sabia onde diabos ela estava. Mas quando a gente chegou no zoológico, eu berrei pra ela, "Phoebe! Eu vou entrar no zoológico! Vem, anda!". Ela não olhou pra mim, mas deu pra eu ver que ela tinha ouvido, e quando eu comecei a descer a escada que leva ao zoológico e me virei eu vi que ela estava atravessando a rua e me seguindo e tal.

Não tinha muita gente no zoológico porque estava um dia meio porcaria, mas tinha um pessoal em volta da piscina dos leões-marinhos e tal. Eu fui passando, mas a nossa amiga Phoebe parou e fez que estava vendo darem comida pros leões-marinhos — um cara estava jogando peixes pra eles —, então eu voltei. Saquei que era uma boa chance de voltar a andar com ela e tal. Eu cheguei e meio que fiquei atrás dela e meio que pus as mãos nos ombros dela, mas ela dobrou os joelhos e escapou — ela certamente sabe ser pra lá de ranheta quando quer. Ela ficou ali parada enquanto davam comida pros leões-marinhos e eu fiquei bem atrás dela. Não pus a mão nos ombros dela de novo nem nada porque se tivesse feito isso ela ia ter se mandado *de verdade*. Criança é engraçado. Você tem que ficar de olho.

Ela não queria andar do meu lado quando a gente saiu dali dos leões-marinhos, mas não foi andando muito longe. Ela meio que ficava andando de um lado da calçada e eu do outro. Não era muito supimpa, mas era melhor do que ela andando a quilômetros de mim, que nem antes. A gente foi ver os ursos, naquela colininha, por um tempo, mas não tinha muito o que ver. Só um dos ursos estava fora, o polar. O outro, o pardo, estava dentro da desgraça da caverna e não queria sair. Só dava pra você ver o traseiro do bicho. Tinha um garotinho bem do meu lado, com um chapéu de caubói praticamente por cima das orelhas, e ele ficava dizendo pro pai, "Faz ele sair, papai. Faz ele *sair*". Eu olhei pra nossa amiga Phoebe, mas ela não ria. Você sabe como que é criança quando fica puta com você. Não ri nem nada.

Depois que a gente saiu dali dos ursos, a gente foi embora do zoológico e atravessou uma ruela do parque, e aí passou por um daqueles tuneizinhos que sempre têm cheiro de que alguém fez xixi. Era no caminho pro carrossel. A nossa amiga Phoebe ainda não queria falar comigo nem nada, mas estava meio que andando do meu lado agora. Eu segurei o cinto da parte de trás do casaco dela, só de farra, mas ela não deixou. Ela disse, "Tire as tuas mãozinhas de mim, se não for incômodo". Ela ainda estava puta comigo. Mas não tanto quanto antes. Enfim, a gente foi chegando cada vez mais perto do carrossel e dava pra você começar a ouvir aquela música pirada que sempre toca lá. Estava tocando "Oh, Marie!". Essa mesma música já tocava uns cinquenta anos atrás quando *eu* era criancinha. Está aí uma coisa bacana dos carrosséis, eles sempre tocam as mesmas músicas.

"Eu achava que o carrossel *fechava* no inverno", a nossa amiga Phoebe disse. Era praticamente a primeira vez que ela abria a boca. Ela provavelmente esqueceu que em teoria estava puta comigo.

"Talvez seja porque o Natal está perto", eu disse.

Ela não abriu a boca quando eu disse isso. Provavelmente lembrou que em teoria estava puta comigo.

"Quer dar uma volta no carrossel?", eu disse. Eu sabia que ela provavelmente queria. Quando ela era bem pequenininha, e o Allie, o D.B. e eu íamos no parque com ela, ela era louca pelo carrossel. Não dava pra você tirar a menina daquela desgraça.

"Eu estou grande demais", ela disse. Achei que ela não ia me responder, mas respondeu.

"Não, não está não. Vai. Eu te espero. Vai", eu disse. Nessa hora a gente já tinha chegado lá. Tinha umas crianças andando no brinquedo, quase só umas crianças bem pequenas, e uns pais estavam esperando em volta, sentados nos bancos e tal. O que eu fiz foi que eu fui até o guichê onde eles vendem os bilhetes e comprei um pra nossa amiga Phoebe. Aí dei pra ela. Ela estava bem do meu lado. "Ó", eu disse. "Espera um segundo — pega o resto da tua grana também." Eu fui dar o resto da grana que ela tinha me emprestado.

"Guarda. Guarda pra mim", ela disse. Aí ela disse logo depois — "Por favor".

É deprimente, quando alguém te diz "por favor". Quer dizer, se é a Phoebe e tal. Aquilo me deprimiu pra diabo. Mas eu pus a grana de novo no bolso.

"Você não vai andar também?", ela me perguntou. Estava olhando pra mim de um jeito meio engraçado. Dava pra você ver que ela não estava mais *tão* puta comigo.

"Quem sabe da próxima vez. Eu fico olhando você", eu disse. "Pegou o bilhete?"

"Peguei."

"Então vai — eu vou ficar bem aqui nesse banco. Vou ficar te olhando." Eu fui até lá e sentei no tal do banco, e ela foi e subiu no carrossel. Ela deu a volta por fora, andando. Quer dizer, ela contornou o carrossel inteiro. Aí sentou num cavalão pardo, com cara de estragado. Aí o carrossel começou a funcionar, e eu vi ela ficar dando umas voltas. Eram só umas cinco ou seis crianças no brinquedo, e a música que o carrossel estava tocando era "Smoke Gets in Your Eyes". Estava tocando de um jeito todo jazz, todo esquisito. As crianças todas ficavam tentando agarrar a argola dourada, e a nossa amiga Phoebe também, e eu estava meio com medo que ela caísse da desgraça do cavalo, mas não abri a boca e não mexi um dedo. O negócio com as crianças é que se elas querem agarrar a argola dourada, você tem que deixar, e não abrir a boca. Se elas caírem, caíram, mas é ruim se você disser alguma coisa.

Quando o brinquedo parou ela desceu do cavalo e veio até onde eu estava. "Dessa vez você também vai, uma vez só", ela disse.

"Não, eu fico só te olhando. Acho que eu vou só ficar olhando", eu disse. Eu dei um pouco mais da grana dela. "Toma. Compre mais um bilhete."

Ela pegou o dinheiro que eu dei. "Eu não estou mais brava com você", ela disse.

"Eu sei. Corre — vai começar de novo."

Aí, do nada, ela me deu um beijo. Aí estendeu a mão e disse, "Está chovendo. Está começando a chover".

"Eu sei."

Aí o que ela fez — aquilo quase que me mata — foi que ela meteu a mão no bolso do meu casaco e pegou o meu boné vermelho de caçador e pôs na minha cabeça.

"*Você* não quer?", eu disse.

"Você pode usar um pouco."

"Está certo. Mas corre, agora. Você vai perder o carrossel. Não vai poder ficar com o teu cavalo nem nada."

Só que ela foi ficando ali.

"Você estava falando sério? Você não vai mais pra lugar nenhum? Você vai de verdade pra casa, depois?", ela me perguntou.

"Vou", eu disse. E era verdade mesmo. Eu não estava mentindo pra ela. Eu fui mesmo pra casa depois. "*Corre*, agora", eu disse. "Vai começar."

Ela correu e comprou o bilhete e voltou pra desgraça do carrossel bem na horinha. Aí deu a volta toda nele até chegar de novo no cavalo dela. Aí subiu. Ela acenou pra mim e eu acenei de volta.

Rapaz, começou a chover que nem um filho da puta. *Canivete*, juro por Deus. Os pais e as mães e todos foram ficar embaixo do teto do carrossel, pra não se encharcarem até os ossos nem nada, mas eu continuei lá no banco mais um tempo. Fiquei molhado pacas, especialmente o pescoço e as calças. O meu boné de caçador me dava mesmo um bocado de proteção, até, mas eu me encharquei mesmo assim. Só que eu nem liguei. Do nada, me deu uma puta felicidade ver a nossa amiga Phoebe dando voltas e mais voltas. Eu estava quase gritando, de tão feliz, se você quer saber a desgraça da verdade. Não sei por quê. Era só que ela estava tão *bonita* ali, droga, aquele jeito dela ficar dando voltas e mais voltas, com o casaquinho azul e tal. Meu Deus, como eu queria que você estivesse ali.

26

É só isso aí que eu vou te contar. Eu provavelmente podia te contar o que eu fiz depois que fui pra casa, e como eu fiquei doente e tal, e pra qual escola que em teoria eu devo ir no próximo outono, depois que eu sair daqui, mas eu não estou a fim. Não estou mesmo. Essas coisas não estão me interessando muito agora.

Um monte de gente, especialmente um tal psicanalista daqui, fica me perguntando se eu vou me esforçar quando voltar pra escola em setembro. É uma pergunta tão idiota, na minha opinião. Quer dizer, e tem como você saber o que vai fazer até chegar a hora de você *fazer*? A resposta é, não tem como. Eu *acho* que vou, mas como é que eu posso saber? Juro que é uma pergunta idiota.

O D.B. não é dos piores, mas fica me fazendo um monte de perguntas, também. Ele veio sábado passado com uma inglesinha que está no novo filme que ele está escrevendo. Ela era bem afetada, mas bonita pacas. Enfim, uma hora quando ela foi ao banheiro lá na puta que pariu, na outra ala, o D.B. me perguntou o que eu achava de tudo isso que eu acabei de te contar. Eu não sabia que diabos eu podia dizer. Se você quer saber a verdade, eu não *sei* o que eu acho. Eu me arrependo de ter contado isso pra tanta gente. Acho que tudo o que eu sei é que eu meio que *tenho saudade* de todo mundo de quem eu falei aqui. Até dos nossos amigos Stradlater e Ackley, por exemplo. Acho que eu até tenho saudade daquele merda do Maurice. É engraçado. Nunca conte as coisas pros outros. Se você conta, começa a ficar com saudade de todo mundo.

Grafia atualizada segundo o Acordo Ortográfico da Língua Portuguesa de 1990, que entrou em vigor no Brasil em 2009.

capa
E. Michael Mitchell
adaptação do lettering de capa
Pedro Inoue
preparação
Márcia Copola
revisão
Ana Alvares
Valquíria Della Pozza
Jane Pessoa
Livia Azevedo Lima
Tomoe Moroizumi

15ª reimpressão, 2025

Dados Internacionais de Catalogação na Publicação (CIP)

Salinger, Jerome David (1919-2010)
O apanhador no campo de centeio / Jerome David Salinger ; tradução Caetano W. Galindo. — 1. ed. — São Paulo : Todavia, 2019.

Título original: The Catcher in the Rye
ISBN 978-65-80309-03-0

1. Literatura americana. 2. Romance. 3. Ficção americana. I. Galindo, Caetano W. II. Título.

CDD 813

Índice para catálogo sistemático:
1. Literatura americana : romance 813

Bruna Heller — Bibliotecária — CRB 10/2348

todavia
Rua Luís Anhaia, 44
05433.020 São Paulo SP
T. 55 11. 3094 0500
www.todavialivros.com.br

fonte
Register*
papel
Pólen natural 80 g/m²
impressão
Ipsis